LE VOYAGEUR SUR LA TERRE

JULIEN GREEN
DE L'ACADÉMIE FRANÇAISE

LE VOYAGEUR SUR LA TERRE

nouvelles

ÉDITIONS DU SEUIL
*27, rue Jacob, Paris VIe*

Les nouvelles rassemblées dans ce volume
ont été publiées initialement
par Gallimard en 1926 (*Le Voyageur sur la terre*),
par Schiffrin en 1928 (*Les Clefs de la mort*),
par les Éditions des Cahiers Libres en 1928 (*Christine*),
par Plon en 1926 (*La Traversée inutile*).
Maggie Moonshine est inédit.

ISBN 2-02-010655-8

LE VOYAGEUR SUR LA TERRE

Il n'y a poix qui tienne comme
ces imaginations mélancoliques.
MALHERBE

Il y a quelques années, l'auteur de la traduction qu'on va lire se trouvait dans une ville des Etats-Unis quand le hasard d'une petite recherche littéraire lui mit entre les mains des documents d'un caractère si particulier qu'il s'amusa à les recopier tout au long ; mais comme ils ont trait à des choses déjà lointaines et presque oubliées dans le pays même où elles se passèrent, il sera bon de ne pas les présenter au lecteur sans remonter aux origines et rappeler un événement qui émut en 1895 la ville universitaire de Fairfax.

Vers le 10 septembre de cette année on retira du fleuve le corps d'un jeune homme de dix-sept ou dix-huit ans. Ses membres brisés en plusieurs endroits indiquaient qu'il avait dû tomber, puis rouler jusqu'en bas d'une pente assez rapide, en se heurtant à des pierres coupantes.

Un peu avant de traverser la ville, le fleuve coule entre deux murs déclives, hérissés de rochers, et qui gagnent en hauteur à mesure qu'on remonte le courant et qu'on s'enfonce dans la campagne. On n'eut donc pas de difficulté à imaginer la scène de l'accident. Le jeune homme se promenait, de nuit, sans doute, dans les alentours de la ville. Sans voir où il va, il arrive au bord du fleuve que l'obscurité lui cache. La terre est détrempée par une averse récente. Il glisse tout à coup et, avant de pouvoir se retenir, il est précipité sur les rochers qui le déchirent, et retombe dans le fleuve où il se noie.

Cependant il faisait si clair la nuit de sa mort que plusieurs personnes refusèrent de croire qu'il eût pu venir jusqu'au bord du fleuve sans le voir à ses pieds, et, supposant que pour une raison ou pour une autre il avait criminellement voulu mettre fin à ses jours, elles proposèrent qu'on l'enterrât dans un coin réservé du cimetière et sans les cérémonies habituelles. Elles firent tant et présentèrent des raisons si plausibles qu'on allait se ranger à leur avis et enterrer le jeune homme comme elles le désiraient.

L'enquête établit qu'il s'appelait Daniel O'Donovan et qu'il était depuis quelques jours dans la ville où il comptait faire ses études. Sur ces entrefaites quelqu'un découvrit des papiers de la main du défunt qui permirent de croire qu'on était allé un peu trop vite et qu'il y avait des circonstances très singulières dont on n'avait pu tenir compte parce qu'on ne les connaissait pas, mais qui devaient mener à une conclusion toute différente de celle qu'on avait été sur le point d'adopter. L'enterrement fut donc remis au lendemain du jour où l'on avait découvert les papiers ; puis on examina soigneusement ces manuscrits et l'on écouta les dépositions de personnes qui avaient connu Daniel O'Donovan. En fin de compte, comme le doute subsistait, on décida qu'il valait mieux se tromper dans la charité que dans la rigueur. On inscrivit donc aux registres, en face du nom de Daniel O'Donovan, les mots d'une vieille formule commode en pareil cas : *mort par la visitation de Dieu,* et l'on convint d'enterrer le jeune homme décemment, en faisant graver sur la dalle qui le recouvrirait ce verset tiré du livre des Psaumes :

Comment donc un jeune homme purifiera-t-il sa voie ?

Presque en même temps, le directeur d'un journal de la ville prit sur lui de donner au public le manuscrit que l'on avait trouvé et il choisit comme titre le verset qui avait servi d'épitaphe. Cette publication intrigua beaucoup de lecteurs, et, comme le manuscrit s'arrête à un moment décisif, il se trouva quelques personnes qui essayèrent de compléter l'espèce de narration dont il est composé, à l'aide de ce qu'elles savaient déjà sur le caractère de son auteur.

On eut donc une suite au manuscrit, mais elle n'a que l'intérêt d'une histoire imaginaire et j'ai cru bon de la négliger. Je l'ai remplacée par des lettres qui m'ont paru plus intéressantes parce que les faits qu'elles rapportent sont véritables et qu'elles comblent des lacunes très sérieuses. Pour ce qui est de la relation de Daniel O'Donovan, je n'ai, naturellement, rien voulu retrancher de ses longueurs, ni corriger ses nombreuses maladresses. J'ajoute que dans cette relation comme dans les lettres, et l'on s'y attendait, tous les noms sont fictifs.

Voici une traduction de ces documents.

MANUSCRIT DE DANIEL O'DONOVAN

Fairfax, 6 septembre 1895.

Je n'écris pas ceci en vue d'un lecteur. Je ferai pour moi seul le récit de mon enfance et je détruirai ce manuscrit lorsque je l'aurai fini. Je suis dans une situation difficile et il me semble que pour en sortir je dois mettre par écrit beaucoup de choses auxquelles je n'avais pas songé jusqu'à ce jour.

J'avais onze ans quand je perdis, presque en même temps, mon père et ma mère. Les dispositions testamentaires voulaient que mon oncle me recueillît. Il le fit à contrecœur et me donna la chambre la plus incommode de sa maison. Elle était trop grande pour qu'on pût la chauffer facilement en hiver, et en été on n'y respirait pas. De plus, elle était située au dernier étage, entre deux pièces dont l'une était hantée et, pour cette raison, avait été transformée en chambre de débarras. L'autre était occupée par un vieillard chagrin, le beau-père de mon oncle. Il avait combattu autrefois sous le drapeau du Sud et il répétait que c'était une chance et un honneur pour mon oncle de vivre sous le même toit qu'un ancien capitaine du général Jackson. Mon oncle au contraire était d'avis que c'était au capitaine de se féliciter d'avoir une place à la table d'un honnête homme et un lit où il pourrait finir ses jours en paix. De ce malentendu il résultait que les deux hommes ne se parlaient pas.

Je me couchais à neuf heures, mais je ne m'endormais jamais tout de suite et j'attendais qu'on fît vers dix heures tous les bruits de voix que je connaissais, tous les bruits de portes qu'on fermait régulièrement les unes après les autres. J'entendais d'abord, pendant les mois d'été, la voix du capitaine qui revenait de sa promenade du soir et dérangeait mon oncle et ma tante assis sur le porche. Ce porche était trop petit ; il suffisait d'y installer deux fauteuils pour condamner la porte d'entrée. J'imaginais ma tante se levant et déplaçant son fauteuil avec un zèle respectueux, car elle vénérait son père. C'est alors que le capitaine disait : « Bonsoir, ma fille. » Puis un grincement particulier m'avertissait qu'il passait près de mon oncle et le forçait à se reculer un peu en traînant son fauteuil sur la pierre. Pas une parole n'était échangée entre le beau-père et le gendre.

Le capitaine allait ensuite du porche à l'office, où il ouvrait des placards, coupait du pain, choquait des verres les uns contre les autres. Au bout de quelques minutes, il se dirigeait vers l'escalier et, après avoir donné un coup de pied dans la première marche dont l'existence paraissait toujours le surprendre, il commençait à monter. Cette ascension était pour moi une source d'épouvante. Le capitaine avait un pas retentissant et mesuré qui remplissait la maison. Tant qu'il n'avait pas atteint le premier étage, j'avais le courage de l'écouter ; je me plaisais même à imaginer le capitaine avec une grimaçante figure d'apparition. Quelque terrible qu'il pût être, en effet, un étage entier me séparait encore de lui et je trouvais quelque chose de délicieux dans mon appréhension, mais, dès que je l'entendais franchir le palier du premier étage et buter dans la première marche de l'étage suivant, mon étage, je ramenais le drap sur ma tête par un mouvement convulsif. Il me venait toujours à l'esprit que ce pouvait n'être pas le capitaine, mais une autre personne venue exprès pour me trancher la gorge. Dans mon affolement, je collais à mes lèvres un petit crucifix de plomb que ma tante me faisait porter autour de mon cou. A ce moment je m'endormais.

Le matin, le capitaine entrait brusquement dans ma chambre et criait : « Debout ! » C'était un grand vieillard droit aux épaules trop larges. Ses longs cheveux blancs tombaient en boucles de chaque côté d'un visage austère. Ses yeux bleus couvraient le monde d'un regard de mépris. Une ancienne blessure au cou l'empêchait de parler comme il voulait, aussi ne disait-il presque rien. Avant de crier : « Debout ! » il faisait involontairement un mouvement de mâchoires comme s'il avait voulu mordre ce mot qu'il ne pouvait articuler ; mais je ne songeais pas à en rire.

Ses manières m'effrayaient un peu. Il conservait, le jour, quelque chose de l'aspect fantastique que je lui prêtais la nuit, car mon cerveau déformait à plaisir sa physionomie un peu rude, et je voyais de la cruauté là où il n'y avait, sans doute, qu'un reste de brutalité professionnelle. Souvent je l'entendais marcher dans sa chambre de ce même pas lourd et ferme que je redoutais, le soir venu. Lorsqu'il faisait chaud, il s'asseyait près de la fenêtre, dans un fauteuil d'osier, et il s'éventait doucement avec un journal, tout en poussant de temps à autre des exclamations dont la force le tirait quelquefois de la rêverie où il s'enfonçait. Il se levait alors, et toussait d'une manière si peu naturelle que je souriais malgré mon inquiétude. Il savait que je pouvais l'entendre et cela l'irritait. Un jour, il vint à la porte de ma chambre et cria : « Daniel. » La crainte m'étreignit. Je ne répondis pas, mais je me levai en remuant ma chaise. « Va-t'en », cria-t-il encore. Je m'enfuis. Cette scène se reproduisit si souvent que je finis par abandonner ma chambre pendant toute la journée, et j'allai lire autre part.

La vue, de ma fenêtre, était obscurcie par l'église presbytérienne dont notre maison n'était séparée que par une cour et une ruelle. Il me semblait qu'elle était plus près encore lorsque je la voyais de mon lit, car alors elle me cachait le ciel tout entier. Elle était construite sur le modèle d'une église de Londres. Je distinguais très bien, au-dessous du toit en ardoise, les hautes fenêtres ogivales, leurs volets blancs qu'on entrouvrait, l'hiver, et la base du clocher agrémenté de colonnes corinthiennes, deux à chaque angle. Cette église m'attristait et les pierres noires m'en paraissaient sinistres. On m'avait raconté qu'autrefois elle avait été en partie détruite par un incendie au cours duquel la flèche, longtemps travaillée par les flammes, s'était abattue enfin, toute fumante, sur le toit d'une maison voisine. Incendiée à son tour, cette maison avait brûlé entièrement en l'espace de quelques heures ; nous habitions celle qu'on avait bâtie à sa place. Aussi ne regardais-je jamais la nouvelle flèche de l'église sans effroi : si elle s'abattait à son tour, ce serait juste en travers de ma chambre.

Le dernier jour de l'année, à minuit juste, un tumulte extraordinaire m'éveillait en sursaut. Des chants s'élevaient, dominés par le grondement des cloches. Je voyais alors l'église flamboyer. Une lumière rayonnante l'enveloppait comme une nimbe et la faisait paraître toute blanche et fantastique. Je tremblais alors qu'elle ne prît feu tout d'un coup et, dans l'horrible crainte où j'étais de mourir de mort violente, je me jetais à genoux près de la porte et priais avec ferveur pour que ma vie fût épargnée.

Puisque je parle de la porte, j'ajouterai, sans intention d'ironie, que c'était la partie de ma chambre que j'aimais le mieux. Cela tenait à deux raisons. D'abord, selon le désir de ma tante qui avait été élevée à Providence et conservait quelques superstitions de cette partie de l'Amérique, la porte de ma chambre était divisée en quatre panneaux d'inégales grandeurs et disposés de telle sorte que les intervalles qui les séparaient reproduisaient la forme d'une croix latine. Ensuite, elle était surmontée d'un écriteau en lettres gothiques agrémentées de ronces et qui disait à peu près : *Souviens-toi qu'il y a dans cette pièce quelqu'un qui te voit et t'écoute en silence.* Je trouvais un étrange réconfort dans ces paroles pleines de mystère.

Ma chambre me paraissait immense. Elle était agrandie encore par la simplicité monacale qui régnait dans le choix des meubles. On voyait un lit de camp à la couverture grise, une natte décolorée, une table ronde sur laquelle ma tante avait posé une grosse Bible catholique ; puis, près de la fenêtre, une commode surmontée d'un miroir ovale, et c'était tout. Le parquet verni avait un aspect de marbre ; les murs étaient crépis à la chaux. Il n'y avait pas de cheminée, mais on apportait quelquefois, à l'époque de Noël, un fourneau à pétrole dont l'odeur m'écœurait.

Mon oncle ne s'occupait jamais de moi. Replié sur son égoïsme, il vivait dans une sorte d'adoration perpétuelle de lui-même et passait son temps dans ce qu'il nommait sa bibliothèque. Il appelait ainsi une petite pièce agréablement située dans un angle du rez-de-chaussée. Des massifs de lauriers-roses la protégeaient du soleil. Des piles de bûches s'y consumaient sans fin quand la température devenait inclémente. Je fus appelé quelquefois à pénétrer dans cet endroit délicieux. Je me souviens encore que mon pied y foula un riche tapis sombre bien différent de la natte effrangée de ma chambre. A droite et à gauche d'une cheminée à la prussienne se dressaient de hautes étagères où des rangées de livres anciens offraient à mon admiration leurs reliures polies. Au milieu de la pièce, une grande table ronde en bois d'acajou supportait une lampe à globe et une écritoire ouverte qui se reflétaient fidèlement dans ses profondeurs miroitées.

Dans ce décor qui lui convenait si bien, je revois un petit homme assis dans un grand fauteuil à capitons, la face levée vers moi, mais le regard dirigé vers ses livres, mon oncle. Dans son visage décharné et vieilli je ne découvre rien d'un esprit généreux, rien d'un cœur charitable ; tout y trahit la défiance, l'ennui et l'amertume d'un solitaire qui hait sa solitude. Son regard ne parvient à s'attacher à rien. Ses lèvres minces sont toujours entrouvertes comme pour laisser passage à quelque parole qu'il ne prononcera pas si je le regarde, car il est d'une timidité incroyable. Souvent, il met ses mains sur ses joues comme pour en cacher les longues rides parallèles. Ses cheveux grisonnent un peu, mais ses sourcils restent noirs et broussailleux. Il s'habille avec soin et selon la mode de sa jeunesse.

Autrefois, il m'adressait volontiers des paroles pompeuses dont je ne saisissais pas toujours le sens, bien qu'il les débitât d'une voix lente et emphatique. Il posait sa main à plat sur ma tête et me disait, après un assez long discours dont le plus gros m'échappait : « Peut-être as-tu là-dedans quelque chose qui vaut la peine que nous avons prise pour t'élever selon les bons principes. » Puis il me renvoyait quelques minutes après, s'interrompant au milieu d'une période compliquée, comme si elle l'ennuyait trop pour qu'il s'occupât d'en compléter le sens. J'ignorais toujours pour quelles raisons il me faisait venir dans son cabinet, je n'étais pas mieux instruit lorsque j'en sortais. J'imaginais que cet homme se fatiguait quelquefois de ses livres et des papiers dont il jonchait la table ronde, et qu'il se délassait d'un gros travail en me sermonnant. Je ne me trompais qu'en ce qui concerne le travail. Mon oncle, en effet, se faisait un curieux point d'honneur de ne presque jamais sortir de sa bibliothèque, mais il s'y ennuyait à périr et n'y travaillait point, si l'on entend par travail un effort continu. Il parcourait sa bibliothèque en tous sens, en fumant des cigares ; ou bien, il s'asseyait dans son fauteuil à capitons, les jambes croisées, un livre à la main, le regard errant au-dessus des pages ; on pouvait le voir ainsi du jardin, en se cachant derrière les lauriers-roses qui poussaient devant sa fenêtre. Enfin, il gribouillait parfois des cédules et les jetait en tas sur sa table, ou il les laissait tomber distraitement à terre, autour de son fauteuil.

J'appris ce dernier détail par ma tante, un jour que j'étais allé la voir dans sa chambre. J'allais souvent la voir et je crois qu'elle aimait ces visites ; moi-même, je me plaisais dans sa compagnie bien que je n'eusse pour elle aucun sentiment de véritable affection. J'étais toujours sûr de la trouver tricotant près de la fenêtre, un grand panier rond, plein de laines grises et blanches, posé à côté de son fauteuil. Dès que j'arrivais, elle se mettait à parler. Elle m'interrogeait sur la manière dont je passais le temps et, sans attendre mes réponses, elle se lançait dans un monologue interminable. Quand le souffle lui manquait, elle faisait effort pour parler en aspirant. Elle était courte et poussait un tabouret sous ses pieds lorsqu'elle était assise. Dans sa figure rouge et charnue, ses petits yeux gris clair ne mettaient d'autre expression que celle d'une curiosité avide. Elle passait quelquefois le revers de la main sur sa lèvre en un geste rapide et regardait vivement autour d'elle, comme pour s'assurer qu'on ne l'avait pas vue. Souvent, elle enfonçait une de ses longues aiguilles dans ses cheveux qu'elle portait rassemblés en un chignon sur le haut de sa tête. Des lunettes à monture d'argent coupaient ses joues molles de leurs branches resserrées : elle en souffrait et se promettait, à haute voix, de porter ces lunettes chez l'opticien. Lorsqu'elle les enlevait, je baissais les yeux par un mouvement de pudeur inexplicable. Elle se vêtait d'une étoffe raide et sombre. Le corsage très ajusté semblait rendre la respiration difficile ; la robe s'épandait tout autour de la taille, sillonnée de petites cassures aux arêtes luisantes.

J'écoutais sans ennui sa voix bavarde qui versait dans mon oreille des confidences de toutes sortes. Ma tante oubliait sans doute que je n'avais pas douze ans et que la plus grande partie de ce qu'elle me disait demeurait pour moi à peu près inintelligible. Peut-être aussi ne me demandait-elle pas de la comprendre, mais simplement de l'écouter, et je l'écoutais bien. L'indifférence de son mari et la maussaderie de son père la condamnaient à une solitude dont elle souffrait, mais qu'elle offrait à son Créateur comme la plus grande mortification de sa vie, ainsi qu'elle le disait elle-même en inclinant la tête et en abaissant les paupières. Je doute cependant qu'elle sût en quoi cette solitude lui était si dure, mais elle souffrait grandement de ne pouvoir parler autant qu'elle l'aurait voulu.

Elle parlait de tout, sans ordre et sans modération. Les mots lui suggéraient des idées, et ses propos étaient si décousus que je ne savais jamais où nous en étions, même lorsqu'elle racontait des histoires que je pouvais comprendre et qui m'intéressaient, mais je saisissais quelquefois de petits détails qui m'enchantaient. Elle me racontait souvent des légendes irlandaises dont quelques-unes me frappaient par leur caractère étrange. Il s'y mêlait beaucoup de sorcellerie et beaucoup de piété et je ne me fatiguais pas de les entendre, mais elles me remplissaient de crainte et me donnaient de mauvais rêves. L'une d'elles me paraissait plus curieuse et plus terrifiante que les autres. C'était l'histoire de Frank Mac Kenna.

Frank Mac Kenna voulut à toute force chasser le lièvre un dimanche matin. Son père le lui défendit, puis, comme il persistait dans son dessein, il le maudit d'une manière effroyable : « Fasse le Ciel que tu ne reviennes pas en vie chez nous, si tu vas à la chasse le jour du Seigneur. » Mais Frank ne l'écouta pas et il partit avec ses compagnons. Ma tante m'expliquait alors qu'il était *fey,* c'est-à-dire qu'il était poussé à la mort par quelque chose d'irrésistible.

Ils levèrent un gros lièvre noir qu'ils poursuivirent toute la journée sans pouvoir l'atteindre, car ce lièvre était certainement d'origine satanique, et vers le soir tous les jeunes gens abandonnèrent la chasse et retournèrent chez eux, à l'exception de Frank Mac Kenna qui disparut dans la montagne sur la trace du lièvre.

J'espérais toujours que Frank Mac Kenna serait sauvé à la fin, mais il mourait toujours de la même mort mystérieuse et on le retrouvait toujours couché par terre dans la montagne, au milieu d'un cercle qu'il avait tracé avec son bâton. Et ma tante ajoutait qu'il avait son chapeau rabattu sur les yeux et son livre de messe ouvert et posé sur sa bouche. On le rapporta chez lui sur une civière. Ainsi les paroles du père avaient été entendues.

Ma tante me parlait aussi beaucoup de l'Ancien et du Nouveau Testament qu'elle avait lus et relus bien des fois. Elle avait une prédilection très marquée pour les endroits terribles des Ecritures. Dans l'Ancien Testament elle choisissait par exemple l'histoire des enfants qu'un ours avait dévorés parce qu'ils s'étaient moqués d'Elisée ; dans le Nouveau, l'histoire d'Ananias et Saphira.

Elle lisait beaucoup les journaux et sans considération pour mon extrême jeunesse elle me parlait de tous les gouvernements d'Europe et me disait ce qu'elle pensait de chacun d'eux. J'admirais alors qu'elle pût prononcer tant de mots qui ne formaient aucun sens dans mon esprit. Quelquefois elle parlait des Etats-Unis, mais assez rarement, et je remarquais qu'elle ne disait jamais rien sur la guerre entre les Etats du Nord et du Sud. Un jour elle me raconta pourtant que, quelques mois après la fin de la guerre et les familles les plus considérables de la ville se trouvant ruinées, on vit des dames se mettre à faire des gâteaux dans leurs cuisines et les vendre aux passants à travers les barreaux des fenêtres. Mais d'ordinaire elle se taisait sur toute cette époque dont on parlait tant autour de nous. Je n'osais lui demander la raison de son silence, mais il m'étonnait beaucoup, et je me rappelle que j'essayais de mille manières de me l'expliquer à moi-même. Plus tard je compris, ou crus comprendre.

Le plus important de ce que disait ma tante roulait sur les imperfections de mon oncle et sur l'extrême patience qu'il fallait déployer pour vivre chrétiennement avec lui.

Elle était pleine de ce sujet. Je n'ai plus, malheureusement, le souvenir distinct de ce qu'elle me rapportait sur le caractère de mon oncle, car, à cet âge, je ne retenais rien des remarques d'un ordre moral et seuls les faits concrets se fixaient dans ma mémoire.

Ma tante aimait la précision jusqu'à la minutie et s'appliquait à donner de son modèle un portrait d'une vérité rigoureuse, mais elle ignorait les lois de la composition et brouillait les éléments les plus divers. Elle se plaisait à dire que mon oncle avait bien changé depuis son mariage, et le tableau des vingt-cinq ans de son mari servait de fond à une description sévère de la réalité présente. Il n'était plus que la caricature de lui-même et elle n'avait jamais vu personne devenir si laid dans l'espace de douze ans à peine. Elle détestait tout ce qui faisait que mon oncle était mon oncle : sa figure jaune, ses mains tremblantes, sa façon de tousser avant de parler aux domestiques, son habitude de passer la main sur le dos d'un livre avant de l'ouvrir, et à propos de livres elle demandait ironiquement à une personne imaginaire, car elle paraissait oublier ma présence, où l'on pouvait se procurer le fameux livre que mon oncle s'était proposé d'écrire autrefois. Elle racontait que le matin, lorsque mon oncle dormait encore (il dormait tard), elle pénétrait avec une domestique dans sa bibliothèque. Là elle ramassait tous les petits papiers qu'il amoncelait sur sa table et autour de son fauteuil, et tous ceux qu'elle ne pouvait lire ou qui lui semblaient de la *mauvaise espèce,* et elle les mettait de côté. J'imagine qu'elle les emportait dans sa chambre et qu'elle les brûlait par rancune de se sentir, en quelque sorte, exclue de la vie et de la confidence de mon oncle. Elle ajoutait encore que, protestant comme il était, et même pire (elle-même était catholique), il ne pouvait rien écrire de profitable. Une autre fois, elle s'échappa jusqu'à dire qu'en politique pas plus qu'en matière de religion il n'avait été du bon côté, et elle allait en dire plus, quand elle s'aperçut tout à coup que je l'écoutais ; elle se mordit les lèvres et se tut un instant. Enfin, elle disait très souvent qu'il lui suffisait de le voir entrer dans une pièce pour qu'elle fût travaillée du désir de le gifler, et qu'elle se contraignait alors à réciter mentalement les actes d'amour et de charité.

Ce bavardage trouble et composé de tant de choses différentes me surprenait beaucoup. Je raisonnais peu sur le caractère des gens, mais je sentais confusément que celui de ma tante avait quelque chose d'étrange, et je me défendais mal d'une certaine méfiance à son égard.

Je ne me méfiais pas moins de mon oncle ; je lui trouvais, comme ma tante, beaucoup trop de secrets et j'avais peur, surtout, de ce qu'elle ne me disait pas sur lui. Son langage difficile à comprendre m'inquiétait, et il avait de plus une voix nasale fort déplaisante.

Deux fois par jour les repas nous réunissaient. Mon oncle, à qui nul régime ne semblait réussir, ne demeurait que quelques minutes avec nous et retournait à ses livres après avoir bu un verre de lait et goûté à un ou deux plats d'un air d'horreur.

Ma tante parlait et mangeait à la fois avec un plaisir égal. Elle s'asseyait à un bout de la table, en face de son père qui engloutissait ses aliments sans mot dire et selon toute vraisemblance sans écouter.

Je grandis entre ces trois personnes sans qu'aucune d'elles prît soin de m'envoyer à l'école, mais la solitude m'avait donné le goût des livres et j'apprenais tant bien que mal tout ce que je sais aujourd'hui. Ma tante qui me voyait toujours un livre entre les mains me félicitait d'être aussi studieux, mais ne songeait jamais à me demander ce que je lisais. Je rencontrais quelquefois mon oncle au salon où j'aimais à lire. Il ne manquait jamais de me prendre des mains le livre que je tenais, pour me le rendre, après en avoir examiné la reliure et la page du titre, en disant : « Tous les livres sont bons. » Cette parole m'enchantait et je poursuivais avec sérénité les lectures les plus diverses.

Vers la fin de ma quinzième année, ma tante mourut. Je ne la pleurai pas, mais elle me manqua tout d'un coup. L'après-midi même de sa mort je me rendis à la chambre où elle travaillait d'ordinaire et m'assis dans son fauteuil. Je vis les lauriers qui ombrageaient la fenêtre de mon oncle, puis la grille du jardin et au-dessus du mur de brique les sycomores de la place. En me levant je renversai le panier où ma tante mettait sa laine ; j'eus quelque tristesse à voir rouler entre mes pieds les pelotes grises que je connaissais si bien et je les considérai quelques minutes sans pouvoir me résoudre à les remettre en place.

Le capitaine n'alla pas à l'enterrement de sa fille, et le lendemain je dormis assez tard sans qu'il me réveillât. A quelque temps de là il vint dans ma chambre où j'avais repris l'habitude de lire depuis la mort de ma tante. Il parut contrarié de m'y voir et se retira aussitôt. Le soir, avant de me coucher, je cherchai ma Bible pour en lire un chapitre comme c'est mon habitude, mais je la cherchai en vain et, sans oser la demander au capitaine, je le soupçonnai de me l'avoir prise. Elle avait longtemps appartenu à ma tante.

Mon oncle n'avait rien changé à sa manière de vivre et l'on comprenait, à voir la persistance de toutes ses petites manies, quelle place infime sa femme avait occupée dans sa vie. Du salon où je lisais, je l'entendais marcher d'un bout à l'autre de sa bibliothèque comme il avait fait pendant des années. Maintenant il en sortait quelquefois pour venir me parler et je remarquai qu'il devenait plus aimable. Un jour il me fit venir dans sa bibliothèque où je n'avais pas pénétré depuis la mort de ma tante. Nous nous assîmes à la table ronde, et il me montra des gravures qu'on lui avait envoyées d'Europe. Elles me ravirent toutes, mais il y en avait de plus belles que d'autres : des vues d'optique vivement coloriées voisinaient avec les *Prisons* de Piranèse ; ces dernières me frappèrent d'étonnement et mon oncle m'en donna une. Enfin il se leva et sortit de sa poche un billet qu'il déplia en me regardant. Je compris le sens de son amabilité ; il voulait me lire quelque chose : c'était l'épitaphe du tombeau de ma tante. Elle était conçue comme il suit :

ELIZABETH DRAYTON,
FEMME DE
CHARLES-EDWARD DRAYTON,
NÉE LE 8 OCTOBRE 1833,
MORTE LE 15 AOÛT 1894
EN CETTE VILLE QU'ELLE NE QUITTA JAMAIS.

Elle dort sous l'ombre,
dans le secret des roseaux
(Job, XL, 16).

Mon oncle parut fier de la citation : « J'ai mis *elle* pour *il,* mais ce n'est rien, expliqua-t-il. La phrase décrit très bien le cimetière où repose ta tante. » C'était vrai ; le cimetière de Bonadventure est en effet situé au bord de l'eau, il est de plus fort ombragé ; pourtant comme le verset de la Bible était peu dans l'esprit de la pauvre femme ! L'ombre, le secret ! On ne pouvait choisir plus mal.

Maintenant j'allais tous les jours chez mon oncle. Il me montrait ses livres et m'apprenait à distinguer les belles éditions des éditions ordinaires ; insensiblement je prenais goût aux beaux papiers, aux reliures ornées, à tout le côté extérieur des livres. Au bout d'une demi-heure, mon oncle finissait toujours par tirer de sa poche quelque petit manuscrit dont il me lisait des fragments. C'étaient le plus souvent de longues réflexions bizarres sur ce qu'il appelait la folie des religions, et des traductions de poèmes français où il était parlé du désespoir de la terre et de l'indifférence du Ciel. J'écoutais sans rien dire ces phrases dont l'ironie violente et blasphématoire me choquait, car j'étais naturellement religieux, mais mon oncle ne semblait rien voir de mon déplaisir et continuait sa lecture d'un air ravi. Il s'interrompait quelquefois pour m'expliquer que ce n'étaient là que des morceaux détachés d'une œuvre importante qu'il se proposait d'écrire un jour. Il me semblait alors que je voyais ma tante cherchant à terre et sur le bureau les bouts de papier que mon oncle noircissait de ses impiétés, et les jetant au feu, de bonne heure le matin, avant qu'il ne descendît de sa chambre.

Le capitaine ne prenait plus ses repas avec nous. J'appris qu'il fréquentait un restaurant tenu par une famille de catholiques, et où l'on ne buvait que du vin coupé d'eau. Il ne me réveillait plus comme autrefois, et peu à peu j'en arrivai presque à oublier son existence.

Il y avait un mois que ma tante était morte quand je reçus un jour un billet qu'on avait porté à la main. Il contenait deux lignes d'une écriture que je ne connaissais pas : *J'ai vécu heureux dans la maison de ma fille. Je m'en vais maintenant plutôt que de vivre dans celle de ton oncle. Dis-le-lui.*

Je ne le dis pas à mon oncle qui semblait ne plus se souvenir du capitaine et ne s'étonna pas une seule fois de son absence, mais je glissai le billet dans un de mes livres.

Je vécus un an encore dans une solitude à peu près complète, sauf le temps assez court que je passais avec mon oncle. Ce dernier ne voyait personne d'autre que moi et, peu à peu, par sa présence et sa conversation, il me communiquait quelque chose de son humeur sauvage et chagrine. J'ai dit que je n'allais pas à l'école, car mon oncle avait des théories particulières sur ce point comme sur tant d'autres. Je sortais peu ; la petite ville que nous habitions ne me paraissait pas intéressante, sans doute parce que je n'étais pas capable d'en découvrir la beauté et que je n'avais pas même la ressource de la comparer à d'autres villes. Tout mon univers se bornait donc à quelques places ombragées en arrière d'un petit port inactif. Cependant je me doutais de tout ce que ma vie comportait d'ennuyeux et d'insuffisant et l'épitaphe que mon oncle m'avait lue trouvait en moi un étrange écho. Il me semblait que d'une certaine manière je dormais, moi aussi, *sous l'ombre et dans le secret,* et je devenais plus triste à mesure que cette idée se confirmait dans mon esprit.

Ma seizième année se passa dans une inquiétude qui ne faisait que croître. Les propos que me tenait mon oncle me paraissaient stupides et je prenais en horreur les petits papiers qu'il sortait de sa poche pour les lire. Réfléchissant beaucoup moi-même, je me sentais de force à réfuter ce petit homme sénile avant l'âge, et je souffrais impatiemment la lecture de ses dissertations. Pour l'éviter, je me mis à faire de longues promenades. J'allais de préférence à l'extrémité de la ville, par-delà les jardins publics, jusque dans le port où personne ne pénétrait. On y voyait toujours les mêmes barques de pêche oscillant sur l'eau inquiète en faisant grincer leurs amarres. Je m'asseyais sur un banc de pierre à l'ombre d'une muraille couronnée d'arbustes et je regardais entre les mâts le mouvement de l'eau sous le ciel. Cent questions se posaient à mon esprit. Je me demandais ce que j'allais devenir, où me mèneraient mes goûts de lecture et de solitude, à quoi je serais bon si mon oncle venait à mourir et me laissait seul pour me tirer d'affaire. Je savais qu'il n'était pas riche et qu'il m'avait recueilli à contrecœur ; je lui en avais une sorte de reconnaissance, mais c'était une reconnaissance forcée qui m'était fort désagréable. C'est alors que me revenaient à l'esprit des paroles que j'avais entendu prononcer autrefois par un ecclésiastique anglais. Il était en conversation avec ma tante et il dit en caressant mes cheveux : « Confiez-le-nous. Il aimera la théologie, et vous savez, ajouta-t-il en riant, que notre profession est la plus belle du monde. » Ces paroles me semblaient douces même à un âge où je pouvais à peine les comprendre, et maintenant encore elles ont pour moi une sorte de charme inexprimable.

Au retour d'une de mes promenades, je reçus un jour un second billet du capitaine. *Viens me voir cet après-midi,* écrivait-il. *J'ai quelque chose à te dire.* Et il m'indiquait une rue située à l'autre bout de la ville. Je m'y rendis. Le capitaine avait une chambre au premier étage d'une petite maison peinte en gris et ornée, sur toute la longueur de la façade, de lierre et de vigne vierge. La chambre elle-même était grande et meublée de façon sommaire d'un lit à baldaquin, d'une chaise en bois clair et d'une table ronde semblable à celle qu'avait mon oncle. Sur cette table je reconnus ma Bible posée à côté d'une lampe. Une autre chaise était placée dans un coin du balcon auquel on accédait de plain-pied par une grande fenêtre à la française. C'était là que le capitaine était assis lorsque j'entrai.

Je me sentis heureux de le voir et cependant je ne l'aimais guère. Il était irascible et sa voix cassante me déplaisait. Tout au moins n'avait-il pas le regard inquiet de mon oncle. Dès qu'il me vit, il vint vers moi et me dit brusquement, en me montrant sa chambre d'un grand geste : « Tu vois cette chambre. Je donne cinq dollars par mois à ma cousine Middleton pour avoir le droit de l'appeler ma chambre. » Il s'arrêta un instant et reprit : « Je donne dix autres dollars au traiteur chez qui je prends mes repas tous les jours. Dans trois ans il ne me restera plus rien de tout l'argent que j'avais mis de côté, mais j'espère qu'on me rappellera bien avant ce temps. »

Je ne savais que penser de ce discours et cherchai quelque chose à dire quand il me prit la main et me demanda : « Et toi ? Tu vis toujours chez ton oncle ? » Je sentis que je devenais rouge et je répondis : « Oui » d'une voix à peine perceptible. Le vieillard me regardait sans lâcher ma main ; jamais un regard plus dur et plus froid ne s'était posé sur mon visage. « Ecoute, me dit-il enfin, si tu veux quitter la maison de ton oncle, je t'y aiderai. Tu iras passer trois ans à l'Université de Fairfax où j'ai été élevé. Veux-tu ? » Je demeurai stupide d'étonnement. Il attendit ma réponse un instant, puis, sans me permettre de réfléchir plus longtemps, conclut avec brièveté : « Je considère que tu acceptes. »

En prononçant ces mots il me mit dans la main un petit rouleau de billets qu'il avait attaché avec une ficelle. « Ceci, expliqua-t-il, te suffira pour un an. Tu prendras le train du matin et tu n'emporteras avec toi que des choses indispensables. Il me semble que ma fille t'a pourvu de tout ce qu'il te faut. Ne prends rien d'autre. » De force il replia mes doigts sur les billets que je gardais dans ma paume ouverte, puis il me frappa l'épaule d'un geste amical en essayant de sourire, et il me poussa vers la porte. Je sortis.

Je remontai une rue, puis une autre. Au bout de celle-là je m'engageai sur une route que je suivis assez longtemps. Onze heures venaient de sonner. Nous étions en septembre et le vent de la mer avait jauni les feuilles. Il faisait frais. Je voulais me promener pour mieux réfléchir. J'avais serré mon argent dans la poche de mon pantalon. Devais-je le garder? Devais-je le rendre? Devais-je rester ou partir?

Le hasard de ma promenade m'amena bientôt aux grilles de Bonadventure. Ce cimetière est situé au bord du fleuve, assez près de l'embouchure pour qu'on entende le bruit monotone des vagues en lutte avec le courant. Des chênes géants joignent leurs branches par-dessus les allées silencieuses. Des écureuils jouent sur les tombes et dans les lianes qui tombent jusqu'à terre. Il n'est pas d'endroit plus paisible et d'où l'idée de tristesse soit plus éloignée.

Sans réfléchir à la route que j'allais prendre, je m'enfonçai dans un des chemins qui mènent au fleuve. Mes pensées m'occupaient tout entier. Je ne savais ce que j'allais faire. Certainement j'étais tenté de partir, mais quitter la maison de mon oncle sans sa permission, n'était-ce pas me condamner à ne jamais plus y remettre les pieds? Sur qui donc pourrais-je compter si mon oncle m'abandonnait à moi-même? Sur le capitaine? J'étais sûr qu'il venait de me donner une grosse partie de sa fortune et qu'à la fin de ma première année de collège il me dirait de gagner moi-même l'argent qu'il me fallait pour compléter mes études. Je n'ignorais pas que beaucoup de jeunes gens pauvres, dans les collèges du Nord, travaillaient en dehors de leurs cours à de petits métiers qui les faisaient vivre. J'aurais donc à compter sur moi-même, mais que ferais-je? Donner des leçons particulières? Un tel projet me fit sourire. Qu'est-ce que j'enseignerais? Je ne savais à peu près rien et toute ma science se bornait à une connaissance assez exacte des Ecritures et à quelques notions de littérature générale. Cependant il fallait prendre une décision et la prendre tout de suite; cette idée se présenta à moi avec tant de force que je m'arrêtai. Je m'aperçus alors que ma distraction m'avait conduit dans un bosquet désert d'où l'on voyait, entre les arbres, les grands roseaux noirs se pencher sur l'eau boueuse. Dans le silence résonnait le chant varié d'un oiseau moqueur qui s'interrompait tout à coup, fatigué de ses appels. Je n'étais jamais venu en cet endroit ; j'ignorais même qu'il y en eût d'aussi tranquilles et d'aussi beaux dans le vaste cimetière. Je demeurai un instant enchanté de cette solitude et je formais mentalement le projet d'y revenir, quand je me pris à dire tout haut, et presque malgré moi : « Je n'y reviendrai pas puisque je pars demain. »

A ce moment, je vis un promeneur qui se dirigeait de mon côté. Je sortis aussitôt du bosquet et, suivant une autre allée, je rejoignis bientôt l'avenue principale du cimetière.

Rentré chez moi, je montai à ma chambre. C'était quelque chose de tout nouveau pour moi que de prendre une résolution et je mis beaucoup de chaleur à préparer mon voyage. Je remplis ma valise de tout ce qui m'appartenait ; ce fut vite fait, je n'avais que quelques effets et quelques livres ; puis j'écrivis à mon oncle pour lui dire que je quittais sa maison et le remercier, il le fallait bien, de toutes ses bontés. Je cachetai cette lettre et la mis à la poste aussitôt.

Je revis mon oncle à dîner quelques heures plus tard. Il était silencieux comme d'habitude et je pris plaisir à imaginer le petit voyage de ma lettre passant de main en main pour parvenir jusqu'à lui, au moment même où, assis en face de moi, il goûtait à un plat en faisant la grimace. Bientôt il s'en alla et je restai seul, mais dès que je me fus levé de table il revint vers moi et me pria de passer quelques instants avec lui dans sa bibliothèque. Je le suivis.

Il paraissait plus soucieux qu'à l'ordinaire et son regard était plus fixe. Tout de suite, il tira un papier de sa poche et se mit à le lire sans lever les yeux sur moi. Il était debout près de la lampe qu'il avait posée sur un coin de la cheminée. J'étais assis à la table, c'était ma place accoutumée. Il lisait vite et indistinctement, mais il y avait dans ses phrases un son plus harmonieux qui me surprit et me fit croire qu'il avait copié dans un livre le morceau dont il me donnait lecture. Au bout d'un instant il sortit un mouchoir de sa poche et s'essuya le front en bredouillant quelque chose que je ne compris pas. Je m'en excusai. Il dit alors à voix plus haute, mais en se détournant un peu : « Veux-tu prendre par écrit quelques notes que je vais te dicter ? » J'allais lui demander une plume et du papier, quand mon regard tomba sur une grande feuille placée devant moi entre une plume neuve et un encrier.

Je me félicitai alors de l'imminence de mon départ. Mon oncle s'était mis à me dicter une phrase assez longue que j'écrivis sans en saisir le sens. Certains souvenirs me revenaient à la mémoire. Je me rappelai la voix et le regard de mon oncle quand il me parlait de l'ouvrage important qu'il méditait d'écrire *plus tard,* sa manière de me dire que *plus tard* je pourrais me servir de tous ses livres, car, jusqu'alors, il ne m'avait permis de lire que les livres du salon. Quel projet formait-il donc ? Pourquoi ne s'en ouvrait-il pas à moi si je devais y jouer quelque rôle ? Je détestais sa timidité que je prenais volontiers pour de l'hypocrisie. A cette minute même elle me parut tout à fait odieuse et, stimulé par la rancune et par le mépris, j'écrivis au milieu d'une phrase : *Non, mon oncle ; je ne serai jamais votre secrétaire.*

Enfin il s'arrêta et me pria de lire ce que j'avais écrit. Dès le premier paragraphe, je fus arrêté par la surprise et demandai à mon oncle ce qu'il me faisait lire. Il me répondit avec une simplicité qui augmenta mon étonnement que c'étaient les premiers mots d'une préface à son ouvrage. Je le crus avec peine, car ces phrases étaient excellentes, me semblait-il, et ne se conciliaient en aucune manière avec les misères qu'il me lisait généralement. Aujourd'hui encore je le soupçonne d'avoir tout bonnement plagié quelque auteur fameux. Quel trait j'ajoute à son caractère !

Je lus mon papier jusqu'au bout en omettant, bien entendu, la petite phrase que j'y avais glissée moi-même. Mon oncle m'écouta d'un air de régal et, lorsque j'eus fini ma lecture, il me pria de serrer le manuscrit dans un tiroir qu'il m'indiqua. « C'est là que je mets les pages définitives de mon travail », dit-il comme pour me faire connaître dès maintenant tous les détails de mon nouveau métier. Le tiroir était à moitié plein, en effet, de papiers couverts d'une écriture hâtive. Celui que j'ajoutai était, je m'en flatte, d'une main plus soigneuse et plus ferme.

Mon oncle ne me retint pas. Après m'avoir remercié il me souhaita une bonne nuit, mais il le fit d'un air si grave que cela ressemblait presque à un adieu et je me demandai avec inquiétude s'il avait connaissance de mon projet. A la réflexion, c'était impossible, mais n'a-t-on pas remarqué cet air entendu chez des personnes qui ne peuvent se douter de ce qui se passe autour d'elles et qui agissent et parlent cependant comme si elles en étaient instruites ? Elles disent à la légère des paroles qu'elles croient sans importance et il se trouve que ces paroles vont au cœur même de la question qu'elles ignorent. Au moment où j'ouvrais la porte, mon oncle dit d'une voix sérieuse : « J'espère que tu es heureux chez moi, Daniel. »

Je me retournai brusquement et le vis qui souriait, mais je ne trouvai pas en moi de réponse. Il fit un geste de la main et s'assit à sa table. Je sortis.

De bonne heure, le lendemain, je fermai ma valise et partis. Mon oncle dormait encore. C'était le moment que j'avais choisi, bien que le train que je devais prendre ne fût annoncé que pour beaucoup plus tard. Je calculai que ma lettre parviendrait à mon oncle à peu près à l'heure de mon départ. Cette idée qui m'avait transporté la veille me rendait pensif, à présent, et je regrettai certains aspects de ma conduite. N'avais-je pas trompé mon oncle ? On a beau faire, une personne à qui l'on ment, et j'avais menti, devient une sorte de juge et grandit aux yeux du menteur. Je ressentais cela très vivement, mais le voyage dissipa bientôt cette tristesse et je m'abandonnai tout entier au plaisir de rêver à un bonheur inconnu en regardant par la fenêtre des paysages que je voyais pour la première fois. Dans l'après-midi du lendemain, j'atteignis la ville de Fairfax.

Elle est bâtie au fond d'une vallée et on la découvre tout d'un coup, au bout d'une chaîne de collines qui la cache comme d'un rideau. Un fleuve profondément encaissé la traverse. Toutes les rues sont bordées d'arbres et pavées de briques roses, mais les maisons se cachent au fond de petits jardins plantés de buis. C'est une ville grave et silencieuse, bien différente de ma ville natale. On n'y voit personne se reposer sur les porches, en s'éventant dans la chaleur de l'après-midi. On dirait que les habitants ne sortent jamais et les avenues sont toujours désertes.

Je pris une voiture qui faisait le service entre la gare et l'Université. Elle traversa la ville et s'arrêta au bas d'un grand parc bordé d'arbres. Au-dessus de la grille je lus une inscription en lettres de fer : *Vous connaîtrez la vérité et la vérité vous rendra libres.* Je pris ma valise et descendis.

Du bout de son fouet le cocher m'indiqua un bâtiment dont on voyait le faîte entre les arbres, au fond du parc. « Vous n'avez qu'à pousser la grille et aller tout droit, dit-il, mais si vous venez pour suivre les cours, vous avez le temps. La rentrée n'est que dans deux semaines. »

Je me sentis rougir. Ce n'était pas la peine de me dépêcher pour arriver quinze jours avant tout le monde. Qu'allais-je faire pendant ces quinze jours ? Sans doute mon visage trahissait-il ma confusion, car le cocher, un jeune homme vêtu à peu près comme un paysan, me cria dans le bruit de la voiture qui s'ébranlait à nouveau : « Sans intention de vous offenser ! »

Je lui tournai le dos et, passant la grille, m'engageai dans une allée. Des écureuils vinrent en sautillant jusqu'à mes pieds et me regardèrent sans crainte, dans l'attente, j'imagine, des friandises qu'on avait coutume de leur jeter. A une très grande hauteur au-dessus de ma tête le vent soufflait avec violence au travers des branches. J'allais vite. Il me semblait qu'on pouvait me voir des maisons en bordure du parc, de l'autre côté de la route. J'atteignis enfin l'édifice que le cocher m'avait montré de loin.

Quelques minutes de promenade me firent connaître dans son ensemble l'Université tout entière. Elle se borne à deux grands édifices bâtis dans le goût de l'Antiquité et placés l'un en face de l'autre, aux deux extrémités d'une immense pièce de gazon en forme de rectangle. Deux rangées de petites maisons s'alignent parallèlement à cette pelouse dont elles sont séparées par une galerie couverte. Enfin de grands arbres d'espèces différentes poussent un peu au hasard dans cet enclos.

Je fis le tour de la pelouse et revins vers le plus grand des deux édifices, celui que j'avais aperçu de la grille. C'était une copie du Panthéon de Rome, mais construit en brique, à l'exception des colonnes qui étaient de marbre blanc. Une large terrasse l'entourait de toutes parts et commandait, d'un côté, à la ville que l'on apercevait entre les arbres, de l'autre, à une vaste étendue de prés et de petits bois, coupée par une route qui menait aux collines. Je m'assis sur la balustrade du côté de la ville et me mis à réfléchir. J'avais quinze jours à passer dans une ville où je ne connaissais personne. Qu'allais-je faire ? Ne devais-je pas m'occuper d'abord de me trouver une chambre ? Mais la pensée d'aller frapper à la porte d'une maison inconnue me déplaisait et cependant je savais que je finirais par en venir là. Cependant le désir de reculer autant que possible ce moment désagréable m'inspira une idée que je trouvai excellente. J'irais passer la nuit dans un hôtel que j'avais vu près de la gare, de sorte que je n'aurais plus à penser à ma chambre jusqu'au lendemain. Puis, peu à peu, je prendrais des renseignements sur les diverses pensions qu'on tenait en ville. J'allai donc me lever quand je vis quelqu'un s'approcher de moi. Je mis la main sur ma valise et demeurai immobile.

L'inconnu me salua en inclinant la tête. Il était grand et vêtu avec beaucoup de simplicité d'un costume bleu foncé, taillé à l'ancienne mode. Son visage était dur et volontaire. Il paraissait plus âgé que moi et tout d'abord je crus que je le connaissais sans pouvoir me rappeler où je l'avais vu.

Je m'étonnai de ne pas l'avoir entendu s'approcher. Je me sentais inquiet et heureux à la fois. Malgré le soleil qui donnait sur la terrasse, il y avait quelque chose de mystérieux dans le silence de cet endroit solitaire. Je suis porté aux rêveries les plus singulières. Un instant je me figurai que je m'étais trompé, qu'il n'y avait personne devant moi.

Cependant j'inclinai la tête, moi aussi. Lorsqu'il fut près de moi, le jeune homme s'arrêta et me dit :

— Je devine que vous êtes ici en avance de deux semaines et que vous venez de l'apprendre. Est-ce que je me trompe ?

Je fis un signe de tête.

« Je l'ai deviné sans peine, reprit-il, parce que je suis dans le même cas. Mais je vois que vous n'avez pas même trouvé une chambre, dit-il en regardant ma valise. Moi non plus. Voulez-vous que nous en cherchions une ensemble ?

Je ne répondis pas ; il continua :

« Nous arrivons de si bonne heure que nous devrions trouver les plus belles de la ville. Je vous conseillerais d'en choisir une près de l'Université.

J'hésitai un instant. Il me sembla tout à coup que beaucoup de choses dépendaient de ma réponse, mais l'étranger avait un regard honnête qui me décida. J'étais, de plus, heureux de trouver quelqu'un d'aussi obligeant dans un endroit où je ne connaissais personne. Je le remerciai et, prenant ma valise dans ma main droite, je sautai à terre.

J'espérai secrètement qu'il se chargerait de toutes les petites négociations que je redoutais et je lui demandai s'il connaissait bien la ville, s'il avait quelque maison en vue. Il me répondit que non.

Nous redescendîmes vers la grille dont il lut l'inscription à haute voix en ajoutant, comme si ce qu'il disait était la suite du verset qu'il venait de lire : « Et cette vérité ne se trouve pas aussi facilement que vous semblez le croire, ni de la manière que vous l'entendez. » Je ne dis rien ; je craignais qu'il ne se mît à tenir des propos déplaisants et qui m'auraient éloigné de lui au sujet d'une parole que j'aimais beaucoup. Mais il se tut et nous remontâmes en silence une avenue où s'alignaient de petites maisons grises que l'on apercevait derrière des jardins. Plusieurs d'entre elles portaient un écriteau sur une colonne du porche. On y lisait : *Chambres à louer*.

Je poussai la porte d'un des jardins après avoir délibéré quelques minutes avec mon compagnon. La question d'un choix immédiat ne se posait pas, toutes les maisons de l'avenue étant construites sur le même modèle. J'en fis tout haut la remarque afin, sans doute, de gagner du temps. Puis j'essayai d'obtenir que mon compagnon passât le premier et me mis à marcher derrière lui, mais il parut comprendre mon manège et il me dit avec une certaine brusquerie : « C'est vous qui parlerez, naturellement, puisqu'il s'agit de votre chambre. Quant à moi, j'en prendrai une en ville. » Ces paroles me vexèrent. Je vis qu'il avait deviné la faiblesse de mon caractère et qu'il était résolu de ne pas y faire attention.

Je sonnai. Une femme nous ouvrit au bout d'un assez long moment, vieille, très droite et de grande taille, vêtue de drap noir et coiffée d'un bonnet à longs rubans. Je lui trouvai un air si sévère que je fus pris de timidité et lui parlai d'une voix indistincte. Elle m'écouta sans m'interrompre, puis elle me dit doucement : « Dois-je entendre que vous êtes étudiant et que vous voulez une chambre ? » Je devins rouge et répondis : « Oui. » Que pensait mon compagnon de mon assurance ? Je n'osais le regarder et il ne disait rien.

La vieille dame nous mena au premier étage et pénétra avant nous dans une grande chambre dont elle poussa aussitôt les volets. Des platanes obscurcissaient la vue ; une lumière indécise tombait sur le parquet noirci et brillant. On voyait dans un coin un lit à colonnes et dans un autre une table toute simple et une chaise de paille. Tout paraissait d'une propreté méticuleuse, mais cette chambre aurait été mal tenue que je l'aurais prise malgré tout. J'avais hâte d'en finir. « C'est très bien », dis-je à mi-voix. « C'est très suffisant », répliqua la vieille dame qui se tenait au milieu de la pièce, les mains jointes. « Cette chambre me plairait beaucoup », lui dis-je après un instant de silence. Elle inclina la tête : « Le prix en est de dix dollars, plus quinze dollars pour les repas. » Je fis à mon tour un signe de tête, et posai ma valise sur la chaise.

« Nous dînons à six heures, reprit la vieille dame, petit déjeuner à huit heures, déjeuner à deux heures. Le matin on vous réveillera à sept heures. » Elle sortit sans attendre ma réponse et ferma la porte avec des précautions marquées.

— Eh bien, dit mon compagnon qui n'avait pas ouvert la bouche pendant toute cette petite scène où j'avais montré si peu de décision, êtes-vous satisfait ?

J'étais très content, mais je m'étonnais que tout se fût fait si vite et, malgré tant d'hésitation de ma part, si simplement. Du reste, depuis que j'avais quitté la maison de mon oncle, je n'avais pas rencontré un seul obstacle à mes desseins. Cependant je m'étais attendu à beaucoup de difficultés parce qu'il me paraissait normal qu'il dût y en avoir. Je demeurai très surpris qu'il fallût si peu d'efforts pour changer tout à fait l'aspect de ma vie et lui donner un air d'indépendance. N'avais-je pas maintenant une chambre à moi ?

Nous restâmes dans cette chambre jusqu'à l'heure du dîner. Je déballai ma valise pendant que mon compagnon, assis sur la chaise, me regardait faire. De temps en temps il me posait des questions sur mes goûts et mes occupations, mais d'une manière à la fois si franche et si discrète que j'aurais eu mauvaise grâce à ne pas lui répondre. Souvent ce qu'il me demandait me paraissait futile et j'avais envie de rire de ce que je prenais pour une grande naïveté. Il m'interrogeait sur tous les objets que contenait ma valise à mesure que je les en tirais, voulant savoir si je les avais depuis longtemps, si je m'y étais attaché, si je ne préférais pas celui-ci à tel autre. Ce ton ne me déplaisait pas. J'étais surpris et flatté qu'on s'intéressât si fort à moi, et je m'amusais à donner plus de détails encore qu'il ne m'en était demandé.

Lorsque tout fut en ordre (après que par un mouvement

instinctif de prudence j'eus glissé dans une poche de ma jaquette le rouleau de billets), je m'aperçus qu'il commençait à faire sombre et qu'on n'y voyait presque plus. Je voulus allumer une lampe posée sur la table, mais elle était vide et je ne trouvai qu'une bougie dans un chandelier d'étain. Mon compagnon ne disait plus rien, mais je devinai qu'il me regardait ; j'en éprouvai une sorte de gêne et je ne me sentis à mon aise que lorsque la lumière, toute faible qu'elle était, se mit à briller autour de nous. Enfin, il se leva et me dit : « Vous n'avez pas songé à me demander mon nom, mais comme vous me reverrez souvent et qu'il faut bien que vous sachiez quel nom me donner, appelez-moi Paul. » En prononçant ces mots il me serra la main et se retira. Je le vis partir sans regret car j'avais envie d'être seul et je m'amusai à ranger sur la cheminée les livres que j'avais emportés avec moi. Il y avait *Frankenstein* de Mary Shelley, *le Vampire* de Byron, des romans de Hawthorne et quelques traductions de livres français, mais ces derniers appartenaient à mon oncle et je comptais les lui rendre un jour. J'étais fort attaché à ces livres. Je les avais lus un très grand nombre de fois et plusieurs d'entre eux étaient en mauvais état, mais je ne les en aimais que plus. Il m'arrivait souvent d'en mettre un dans ma poche lorsque j'avais à sortir ; enfin je pensais plus souvent à ces quinze ou vingt volumes fatigués par un long usage qu'à n'importe quelle autre chose dans ma vie. Il me semblait que je n'aurais pas trouvé le même plaisir à les placer sur la cheminée si Paul, puisque c'était son nom, avait été présent. Il me semblait aussi que, lorsque je les avais sortis de ma valise, il les avait regardés sans indulgence ; en tout cas il n'en avait presque rien dit, et ne m'avait pas demandé de les lui montrer, ce qui me paraissait un manque de curiosité extraordinaire.

Quelqu'un agita tout à coup une petite sonnette dans

l'escalier. J'éteignis la bougie et descendis à la salle à manger. C'était une assez petite pièce, triste et mal éclairée. Une longue table sans nappe en occupait la plus grande partie et il fallait se serrer contre le mur pour en faire le tour. De grosses assiettes la couvraient ainsi que de grandes corbeilles pleines de pain. Au mur pendaient un portrait en couleurs du général Lee et une reproduction d'un tableau historique. Je m'assis. Au bout de quelques minutes, comme personne ne venait, je me mis à manger du pain, mais sans appétit et, pour ainsi dire, par désœuvrement. Je suis sujet à de brusques accès de tristesse que j'attribue à ma vie solitaire. J'en sors difficilement parce que je n'en connais pas bien la raison et j'en souffre beaucoup. C'est généralement le soir que cette tristesse me vient et il me semble alors que la nuit qui descend sur la terre ne s'en ira jamais. Dans des cas comme celui-là, la raison ne m'est d'aucun secours et toutes mes pensées ne font que confirmer le désespoir qui me saisit. Ma ressource est d'essayer de lire.

Je me trouvai tout d'un coup dans l'état d'esprit que je viens de décrire quand je me mis à manger du pain, en attendant qu'on me servît mon dîner. Je regrettai tout à coup ce que j'avais fait ; je vis tous les avantages de ma vie passée, l'absence complète de soucis véritables, la liberté que j'avais d'employer mon temps comme je l'entendais. Pourquoi donc avais-je abandonné tout cela ? Parce que mon oncle me faisait passer tous les jours une demi-heure ennuyeuse dans sa bibliothèque !

Il me semblait que le pain que j'avalais allait m'étouffer. Enfin une jeune négresse ouvrit la porte et la referma du pied. Elle portait un plat qu'elle posa sur la table en me regardant d'un air de méfiance. Elle était vêtue de toile rayée et marchait en traînant ses savates. Au moment de ressortir elle appliqua sa main sur sa bouche pour étouffer un rire subit et ferma vivement la porte derrière elle. J'entendis une voix qui la grondait.

Je ne mangeai presque rien et remontai à ma chambre le plus tôt qu'il me fut possible. On y avait allumé un feu de bourrées pendant mon absence, car la nuit était fraîche. On avait aussi remplacé la bougie par une lampe à gros globe de verre mat. J'approchai ma chaise du feu et je sortis de ma poche un petit livre que j'ouvris au hasard ; puis je me mis à le lire tout en mangeant les deux pommes qui constituaient mon dessert.

Je lisais depuis près d'une heure quand mon nouvel ami entra dans ma chambre. Je ne l'avais pas entendu monter et je fus si surpris de le voir tout à coup devant moi qu'il me demanda s'il me faisait peur. Il s'informa ensuite de ce que je lisais ; je lui tendis mon livre : c'était une traduction d'un roman français. Il haussa les épaules et me le rendit aussitôt. Je le remis dans ma poche.

Son visage avait un air si calme et si ferme que je pris plaisir à le regarder dans ce moment d'incertitude. Je me rendis compte que ma tristesse de tout à l'heure était peut-être due à son absence, car je repris courage en le voyant et je le remerciai d'être venu. Lui-même paraissait heureux d'être avec moi et en humeur de parler. Il m'expliqua qu'il avait dîné en ville et qu'il avait l'intention de chercher une chambre le lendemain matin, puis il me demanda d'un air de grand intérêt ce que je comptais étudier cette année. Je lui répondis d'autant plus volontiers que je me sentais moins timide avec lui et je lui fis connaître dans le plus grand détail des projets dont la plupart étaient formés sur-le-champ et par hasard. Insensiblement j'en vins à lui raconter l'histoire de ma fuite et d'une manière assez naturelle je lui fis la relation de plusieurs circonstances de ma vie passée. Il se tenait devant moi, appuyé à la table, et m'écoutait attentivement. De temps en temps il m'interrompait et me demandait de lui expliquer certains détails sur lesquels je passais trop vite. Enfin je voyais qu'il suivait mon récit avec intérêt. Je trouvai beaucoup de réconfort dans cette confession que je faisais à un inconnu et il me semblait que je m'allégeais ainsi du poids d'un grand nombre de choses. Il me semblait aussi que ma vie, ou plutôt une partie ennuyeuse et médiocre de ma vie, prenait fin et qu'une autre, plus heureuse et plus active, allait commencer ce soir même. Cependant je ne pouvais m'accuser d'aucune faute grave, mais cela précisément m'apparaissait comme une faute, comme une espèce de péché d'omission. Je me demandai pour la première fois comment il se faisait que je n'eusse pas souffert des tentations mystérieuses dont parlent les Ecritures et il me semblait que quelque chose d'inconnu, à la fois bon et redoutable, avait manqué à ma jeunesse. J'aurais voulu avoir des péchés humiliants à avouer et je crois que seul un respect naturel de la vérité m'empêchait d'en inventer.

Quand je me tus, Paul se redressa et me regarda en silence. En voyant ses yeux fixés sur moi je pensai, tant il y avait de sévérité en eux : « Je ne voudrais pas avoir de différend avec toi. » Mais je soutins ce regard avec une tranquillité intérieure qui me surprit moi-même. « Montrez-moi donc vos livres », me dit-il enfin. Je lui en avais beaucoup parlé en effet. « Les voilà », répondis-je en les montrant sur la cheminée. Et pour qu'il pût mieux les voir, je me levai et les éclairai avec la lampe.

Il les regarda un instant, mais je ne lus pas dans son visage le plus léger mouvement de plaisir. Je m'en félicitai comme d'un avantage que je me découvrais enfin sur lui. « Est-ce tout ? » demanda-t-il lorsqu'il eut fini son inspection. Je fis un signe de tête. « Vous oubliez celui que vous avez mis dans votre poche. — C'est vrai, répondis-je, nous pouvons le mettre avec les autres. » Et j'en fis le dernier de la rangée. Nous nous quittâmes peu après, non sans avoir décidé de nous revoir le lendemain.

RÊVE

Cette nuit-là et la nuit suivante je fis plusieurs fois le même rêve. Je dormais profondément, mais je voyais les choses autour de moi aussi bien que si j'avais été éveillé. Une lumière blanche dessinait sur le plancher le rectangle de la fenêtre. Les rideaux de tulle étaient agités par la brise et semblaient vivants.

J'entendais la respiration égale d'un dormeur : c'était la mienne et je me voyais dans mon lit, par un dédoublement inexplicable. Mon visage était blanc, quelquefois mes lèvres s'entrouvraient et j'entendais alors un gémissement qui me faisait peur. Mes mains étaient étendues sur la couverture.

Ma respiration devenait plus difficile et mon souffle avait un son rauque que je ne reconnaissais pas. Etait-ce moi qui dormais ainsi ? Je me penchais sur mon visage dans l'espoir que je m'étais trompé. C'était bien moi.

Alors je voulus relever les mèches qui couvraient le front du dormeur et essuyer la sueur de ses joues, mais je ressentis aussitôt un grand poids sur mes deux mains et je les vis étendues sur la couverture. Les doigts remuaient faiblement, et cet effort faisait ruisseler la sueur sur les joues de celui qui dormait.

Cependant les yeux s'étaient ouverts et regardaient le plafond. Je me penchai sur eux, mais ils ne me virent pas. Les lèvres tremblaient comme pour essayer de former un son. Tout à coup elles se séparèrent et je vis les dents, puis la langue ; un cri sortit de ma poitrine. Il me sembla que je m'étais rendu libre et me précipitant vers la porte j'abandonnai le corps étendu sur le lit.

La porte s'ouvrit avec violence avant que je l'eusse

touchée et Paul entra dans la chambre. Il était nu-tête et ses cheveux retombaient sur son visage. Ses vêtements étaient déchirés et couverts de boue. Je voulus lui parler mais les mots ne parvenaient pas à sortir de ma bouche. Il s'approcha du lit. Je vis alors le corps se roidir et agripper les couvertures de ses deux mains. Un horrible frémissement le traversa de la tête aux pieds et ses yeux se révulsèrent dans leurs orbites. Enfin il retomba sur le lit.

Maintenant nous étions dehors et nous allions vite. Nous remontions vers l'Université et la terre glissait sous nos pas, car il avait plu depuis la tombée du jour. Il me semble que nous marchâmes pendant des heures. Je ne savais plus où j'allais, mais Paul était devant moi et de temps en temps il se retournait et me regardait de ses yeux immobiles.

Nous avions pris une route qui traversait un champ puis s'engageait dans les bois, et c'est en traversant ces bois que je m'aperçus que nous montions. Nous montâmes très longtemps et tout à coup Paul se mit à courir en élevant les bras et en criant : *La fin de la course !*

Alors je fis un nouvel effort et je courus après mon guide. Bientôt il s'arrêta en haut d'une crête boisée et lorsque je l'eus rejoint je vis que nous étions sur une longue route dont on ne pouvait voir la fin. Mais Paul me prit par la main et nous allâmes jusqu'au bout de cette route. Là il n'y avait plus d'arbres et je vis que nous étions dans une plaine qui côtoyait un gouffre. C'est en cet endroit que nous nous arrêtâmes. Du fond du gouffre arrivait jusqu'à nous un mugissement énorme. J'eus peur, mais je regardai. L'aube éclairait le ciel et je vis de grandes eaux bouillonnantes qui se précipitaient avec violence entre deux murailles de rochers. Parfois l'eau se creusait au milieu du courant et j'apercevais un abîme d'où montaient des cris lointains, mais des vagues impétueuses le recouvraient aussitôt. Alors j'entendis la voix de Paul qui criait : *La source des eaux vives !* et en même temps je tombai à terre.

Lorsque je revins à moi, je me trouvais de nouveau dans ma chambre, près de mon lit. J'étais seul. Sur le lit mon corps était étendu, mais non comme je l'y avais laissé. Les membres étaient rompus et saignaient de toutes parts comme si on en eût arraché la peau. La figure était changée, mais d'une manière que je ne peux me résoudre à décrire. Une telle épouvante me saisit alors que je me mis à souffler comme font les animaux qui prennent peur et je vis à ce moment les lèvres s'écarter et la bouche s'agrandir peu à peu pour crier, et c'est le cri qui sortait de cette face qui me réveilla.

Je fis ce rêve trois fois et chaque fois je me réveillai dans une terreur plus grande, car il semblait qu'il devenait plus précis et qu'il se rapprochait de plus en plus de la réalité, mais de quelle réalité ? Je savais maintenant tous les détails de cette course nocturne, je savais qu'après avoir passé l'Université je prendrais la route qui menait au bois, et ce bois je le traverserais et j'arriverais ainsi à la route qu'il fallait suivre jusqu'au bout. Là, j'entendrais le mugissement des grandes eaux, j'aurais peur et m'évanouirais, mais cette peur n'était rien. La vraie peur m'attendait dans ma chambre et celle-là était abominable au point de me tirer de mon cauchemar.

Quand je me fus réveillé pour la troisième fois, le ciel devenait pâle et une lueur grise tombait de la fenêtre. Cependant il faisait encore très sombre et je craignais de me rendormir. Je me levai et allumai la lampe, puis je fermai la fenêtre et m'assis à ma table. Ma tête retombait sur ma poitrine et je ne parvenais pas à tenir les yeux ouverts. Alors, pour ne pas m'abandonner de nouveau à un horrible sommeil, je me forçai à écrire.

D'abord je traçai péniblement quelques mots sans beaucoup réfléchir à ce que je faisais. Et je vis ce que j'avais écrit : *La source des eaux vives!* Mais tout à coup ma plume devint légère et je me mis à écrire comme si on me poussait la main.

Je crois qu'une grande demi-heure dut se passer ainsi. Je me rappelle que le grincement de la plume sur le papier occupait toute mon attention. Enfin l'aube parut et je retombai la tête sur la table. Je dormis sans rêve jusqu'au matin.

Lorsque j'ouvris les yeux, mon premier soin fut de brûler ce que j'avais écrit, parce que je ne parvenais pas à en débrouiller le sens. J'avais honte de m'être laissé aller à cette sorte d'amusement ridicule.

Après le petit déjeuner, je mis mon costume le plus propre pour me rendre au bureau du secrétaire où je devais prendre mes inscriptions. J'espérais que Paul m'accompagnerait, mais il ne vint pas et vers dix heures je sortis. Il faisait beau ; tout était tranquille et je me sentais plus calme que le premier jour.

J'appris que le bureau n'ouvrait que dans une semaine et, comme il me restait près de trois heures avant le déjeuner, je résolus de faire une promenade.

Je quittai l'Université par la route opposée à celle que j'avais suivie d'abord. Je ne sais pourquoi au bout d'un moment je me mis à marcher vite et de plus en plus vite, et bientôt je fus hors de souffle. Je m'étais engagé dans un chemin creux, semé de grosses pierres contre lesquelles je butais à chaque instant.

De nouveau j'étais troublé et il me sembla tout à coup que je fuyais devant quelqu'un. Mais ai-je dit que je suis sujet à des accès de terreur dont je ne parviens à démêler ni l'origine ni la raison ? C'est là mon infirmité, c'est là ce qu'il y a de triste et de honteux dans ma vie et ce que je souffre de ne pouvoir m'expliquer. Pourquoi ne suis-je pas comme tout le monde ? J'ai quelquefois le sentiment qu'il y a derrière tout ce que je fais, derrière tout ce que je pense toutes sortes de choses que je ne comprendrai jamais. Ne viennent-elles pas de moi, de mon cerveau ? Et si elles viennent de moi, pourquoi me restent-elles étrangères ? Est-ce que je ne m'appartiens pas ? Est-ce qu'il y a une partie de moi-même qui est hors de ma portée ?

Ces pensées que j'écris au hasard et que je n'ose relire m'ont presque toujours occupé, tout au moins depuis que je me suis mis à réfléchir sur moi-même. Quelquefois elles prennent dans mon esprit un aspect terrifiant et, d'une manière que je ne peux décrire avec exactitude, elles semblent revêtir une apparence physique et devenir hostiles. Dans ces moments-là, à quels gestes d'enfant ma misère me pousse ! Je me bouche les oreilles. (Je n'écrirais pas tout cela si je pensais qu'on dût le lire.)

Au milieu du chemin creux, je fus donc saisi de cette terreur étrange et je crus qu'on me poursuivait. Je fermai les yeux dans une sorte de vertige et me mis à courir devant moi en criant lorsqu'une douleur subite me poignit à la tête et me contraignit de m'arrêter. Pendant quelques minutes je demeurai étourdi.

Quand je rouvris les yeux, je m'aperçus que j'étais à la lisière d'un bois qui montait en pente rapide. Comment ne l'avais-je pas vu si près de moi ? Je le croyais beaucoup plus éloigné. Mes terreurs avaient cessé (elles cessent toujours lorsque je me mets à courir), mais j'étais inquiet et je revins sur mes pas.

Je m'efforçai de marcher lentement et d'être maître de moi, de marcher comme tout le monde. Bientôt j'atteignis la grand-route qui fait le tour de l'Université. Il y passait plusieurs personnes dont quelques-unes me saluèrent comme si elles me connaissaient. Cette politesse me toucha beaucoup. Un ecclésiastique, entre autres, s'arrêta et se mit à me parler. Je pense que c'était le chapelain de l'Université, car il semblait connaître tous les professeurs et il me parla des cours que faisait chacun d'eux. Il me conseilla d'étudier les mathématiques et me demanda si je lisais ma Bible assidûment. Nous fîmes alors quelques pas ensemble. Il parlait d'une voix douce et ferme et me demanda tout ce qu'un homme de sa robe a coutume de demander. La question de la Bible nous amena à celle de la prière, puis à celle de la pureté. Touchant cette dernière je lui dis, comme il me poussait un peu sur ce terrain, que je me gardais comme du feu de lire des livres hérétiques et même d'en avoir dans ma chambre, car l'impureté est en telle abomination dans la Bible qu'il semble bien que ce soit la faute la plus difficile à remettre. Il me dit alors qu'il ne fallait pas brouiller les choses et me quitta après quelques minutes. J'avais eu beaucoup de plaisir à lui parler.

Je revins à ma chambre au bout de deux heures. J'y trouvai Paul assis devant les cendres encore rouges de ce qui avait dû être un grand feu. Mon regard se porta immédiatement sur la cheminée. Elle était vide. « Vous cherchez vos livres, dit Paul qui avait suivi la direction de mes yeux. Je vous les ai achetés à raison de vingt-cinq *cents* le volume. Vous en aviez quatorze. Calculez vous-même. » Je le regardai sans rien dire. Il tira de sa poche quelques billets et une pièce d'argent qu'il me mit dans la main. « Comptez cet argent », dit-il. J'étais trop surpris pour ne pas obéir et machinalement je comptai les billets. Tout à coup je lui demandai : « Mais où sont les livres ? — Je les ai brûlés », dit-il.

Je me rendis compte à ce moment que je n'avais jamais

éprouvé la tristesse dans ce qu'elle a de plus amer, et ces simples paroles m'ouvraient un monde inconnu. Ma main laissa échapper l'argent. Je ne songeai pas à demander à Paul pourquoi il avait détruit mes livres, je crois que je ne songeai pas même à lui en vouloir, je pensai simplement qu'il n'en restait que des cendres. Il ramassa l'argent et le mit dans une poche de ma jaquette. « Gardez ceci, dit-il. Vous en aurez besoin. » Comme je le regardais, je me souvins tout d'un coup que c'était lui que j'avais vu dans le cimetière de Bonadventure, alors que je me promenais dans le bosquet.

Il me prit par le bras et me contraignit de m'asseoir sur la chaise.

(La première partie du manuscrit s'arrête ici. La deuxième est datée du surlendemain.)

9 septembre.

Bien des souvenirs me reviennent à la mémoire, mais il faut que je me dépêche. Quand Paul m'eut recommandé de garder mon argent, il se leva et sortit, et ce jour-là je ne le revis pas. C'est alors que, pour me distraire de mon ennui, je résolus d'écrire la relation de tout ce qui m'était arrivé dans le courant de mon enfance et plus tard jusqu'à maintenant. Il me semblait en effet qu'il y avait dans ma vie quelque chose d'extraordinaire et que je comprendrais mieux de quoi il s'agissait quand j'aurais mis mes souvenirs par écrit. J'y travaillai donc toute la journée et, n'ayant pas envie de dormir, toute la nuit. Je prenais goût à cette tâche à mesure qu'elle avançait. Le matin du jour suivant, j'avais écrit ce que je pensais être la dernière ligne de mon manuscrit, car je ne voulais rien y ajouter, quand je fis une découverte qui me consterna.

Le jour même de mon arrivée, j'avais fait porter à une blanchisseuse un petit paquet de linge. On me le rapporta, lavé, deux jours plus tard et je cherchai dans ma poche le portefeuille qui contenait mon argent : il n'y était pas. Je le cherchai autre part mais sans plus de succès et je ne retrouvai que la petite somme que Paul m'avait remise. La blanchisseuse qui assistait à cette scène et qui voyait le trouble dont j'étais saisi me dit qu'elle pouvait attendre quelques jours et s'en alla. J'aurais pu la payer avec l'argent qui me restait encore, mais les forces me manquaient et je demeurai quelque temps dans une sorte de stupeur.

Sur ces entrefaites, Paul vint me rendre visite. Je m'étais à peu près remis de ma surprise et je me demandais ce que j'allais faire. Il venait donc à point pour me conseiller. Mais il y a en moi d'étranges contradictions. Je le soupçonnais fortement de m'avoir volé mon argent le jour même où il avait brûlé mes livres. (Je me rappelais en effet que j'avais oublié mon portefeuille dans la poche du costume que j'avais laissé de côté pour en mettre un plus neuf.) Pourquoi n'en ressentais-je aucune indignation ? Pourquoi éprouvais-je au contraire une véritable joie à le revoir ? J'allai même jusqu'à lui dire mon embarras, comme si l'ironie de ma situation n'avait pas éclaté à mes yeux. J'avais mon voleur devant moi, j'en étais sûr, et cependant que me disais-je ? A peu près ceci : « Il est bon et c'est à lui que tu dois demander de te venir en aide. Ce qu'il a fait est sans importance. » Ces idées se pressaient dans mon cerveau avec tant de force que j'en étais étourdi comme on peut être étourdi au milieu d'un tumulte.

— Que dois-je faire ? lui demandai-je.

— Il y a vingt manières de gagner de l'argent, répondit-il. Est-ce que vos livres ne vous ont rien appris ?

La question me parut cruelle, mais si juste, que je ne pus m'empêcher d'y réfléchir un instant. Elle éclairait toute ma vie. Je ne savais rien faire, j'avais perdu mon temps à lire et je n'en avais tiré aucun profit. Des années entières s'étaient passées et je les avais vécues comme si mon oncle devait vivre éternellement et s'occuper de mon bien-être jusqu'à la fin de mes jours. Je fus épouvanté de l'impuissance que je découvrais en moi et je fus tenté de crier à Paul : « Ne m'abandonnez pas. Je me soumets à vous en toutes choses. Vous commanderez, et j'irai où il vous plaira. » Mais mon orgueil me retint. Dans mon désespoir je me mis à regarder autour de moi et tout d'un coup je me vis, dans un miroir accroché au mur, comme jamais je ne m'étais vu jusqu'à ce moment. J'étais l'image de l'incertitude et de la crainte. Mes yeux étaient agrandis, ma bouche entrouverte, je voyais ma poitrine se soulever dans l'effort d'une respiration difficile. Je voulus détourner la tête, mais il me sembla qu'elle était maintenue dans la direction du miroir et je regardai malgré moi ce visage qui ne voulait pas s'abaisser ni fermer les yeux. N'avais-je donc jamais remarqué que mes lèvres étaient presque blanches, sans force, sans épaisseur ? Mes joues étaient pâles ; mes yeux trop écartés l'un de l'autre me donnaient un air étrange qui m'effrayait en cette minute. N'avais-je donc jamais vu ce visage ? J'eus subitement horreur de moi et je mis mes deux mains sur mes yeux.

Paul était assis devant moi. Lorsque je laissai retomber les mains, je le vis avec la même lucidité que j'avais eue tout à l'heure en me voyant dans le miroir. Mais je ne parviens pas à le décrire et tous les mots qui me viennent à l'esprit me semblent inexacts ou insuffisants quand j'essaie de les appliquer à lui. Ses traits sont irréguliers et massifs ;

cependant il y a quelque chose de si singulier dans son regard, quelque chose de si calme et de si terrible, qu'il semble que son visage rayonne. Je sens qu'il ne peut ni se tromper ni faire le mal. Je sens de plus que, sans me mépriser, il voit toute la faiblesse qu'il y a en moi, et qu'il est seul à pouvoir me guider.

Après un violent effort, je lui dis : « Je ferai ce que vous voudrez si vous consentez à me venir en aide. » Alors il se mit à réfléchir et je restai quelques minutes devant lui. Mon cœur battait horriblement et je pensais : « Je me remets à toi du soin de tous mes projets. Je ferai ce que tu me diras de faire. » Enfin il releva les yeux vers moi et répondit : « Je pense qu'il faut que vous vous tiriez d'affaire tout seul. » Je gardai le silence et presque aussitôt Paul s'en alla.

Resté seul, je m'abandonnai quelques minutes à un horrible désespoir. Je m'étais donc trompé et la seule personne sur qui j'avais compté s'écartait de moi. Mon orgueil souffrait cruellement parce que je m'étais humilié devant un inconnu qui manquait à ce point de la charité la plus ordinaire. Mais il y a une sorte d'habitude du désespoir qui s'appelle résignation et cette résignation vint assez vite. Je me dis que j'avais mérité les vexations que je subissais et que j'en subirais d'autres et de toutes sortes tant que je ne foulerais pas aux pieds mon amour-propre et ma présomption. Je ressentais une joie amère à me répéter ces choses et, pour ainsi dire, à parcourir mon malheur dans toute son étendue.

Et tout à coup, il me sembla que ma tristesse était sans raison parce que l'objet même de cette tristesse était illusoire. Je ne peux dire avec quelle violence cette idée se présenta à moi, c'était comme si une lumière éclatante se précipitait dans mon âme et retournait ma vie. Comment avais-je pu me tromper si longtemps et m'attacher à des livres, à mon argent, à moi-même, à ma tranquillité ? La vraie tristesse n'aurait-elle pas été de se sentir la proie de tous les biens que j'avais désirés ? Je fus si ému de cette espèce de révélation que je m'étendis sur mon lit pour ne pas tomber. Maintenant le monde pouvait finir et la vie se retirer de moi. Toutes les choses visibles n'existaient que pour ma tentation et, par un mouvement de l'âme qui me brisa, je renonçai en un instant à la possession de toutes ces choses, à toute affection de la terre, à tout espoir de bonheur sur terre. J'eus l'impression que mon esprit se séparait alors de ma chair et que j'étais arraché à moi-même. Mes mains se mirent à trembler et la sueur coula de mon front. Je poussai un cri et me levai, mais aussitôt je tombai comme si j'avais été jeté à terre.

Je ne sais combien de temps je restai ainsi, mais lorsque je me relevai il faisait noir et la pluie battait les vitres. Je sentis une douleur aiguë à la base du crâne et une grande faiblesse dans tout mon corps. En allumant la lampe je trouvai sur la table un billet signé du nom de Paul. Je le lus, le laissai retomber aussitôt. Il contenait ces mots : *Il viendra quelqu'un de fort qui te prendra sous sa garde et te conduira dans tous les chemins de ta vie, si tu ne lui résistes pas.*

Je demeurai éveillé toute la nuit. A l'aube j'écrivis la relation qu'on vient de lire.

(Le manuscrit prend fin sur ces mots. Voici maintenant des lettres ou fragments de lettres qui mettront en lumière, peut-être, certaines parties obscures du récit de Daniel O'Donovan.)

I

LE DIRECTEUR DE LA « REVUE DE FAIRFAX » A M. CHARLES DRAYTON

Fairfax, septembre 1893.

Monsieur,

Je ne vous surprendrai pas en vous disant que la fin tragique de M. Daniel O'Donovan a causé ici une émotion très vive en même temps qu'elle a mis en éveil la curiosité la plus exigeante. On veut tout savoir de ce qui se rapporte à votre neveu. Un très grand nombre de personnes demandent à visiter sa chambre et quelques-unes soutiennent qu'elle est *hantée*. Je vous demande pardon de vous entretenir de ces détails qui ne peuvent que vous affliger, mais vous allez comprendre quelle importance ils ont pour vous et pour moi.

Ma profession m'oblige à me tenir au courant de ce qui se passe dans notre ville, et j'ai été moi-même dans la chambre de M. O'Donovan le lendemain de sa mort. Miss Smyth, à qui la maison appartient, m'accompagnait et personne avant nous n'avait pénétré dans cette pièce depuis que M. O'Donovan l'avait quittée. C'est alors que nous trouvâmes dans le tiroir de la table un assez long manuscrit dont je pris immédiatement connaissance et qui ne pouvait appartenir qu'au dernier occupant de la chambre. Miss Smyth en commença la lecture avec moi, mais elle l'abandonna bientôt et sortit, me laissant seul dans cette pièce. Elle revint au bout de quelques minutes avec un cahier dans lequel tous ses hôtes sont priés d'apposer leur signature et de donner par écrit les renseignements habituels. M. O'Donovan s'était soumis à cette formalité et son nom était le dernier du cahier. C'est donc à l'aide de cet autographe que nous avons pu nous assurer que le manuscrit trouvé dans le tiroir était de sa main, comme nous l'avions présumé.

Miss Smyth me permit d'emporter ce document sous condition de le remettre aux autorités lorsque j'aurais complètement fini de le lire. Je n'hésitai pas ; je le remis sur l'heure au typographe. Je crois que vous m'approuverez, monsieur, quand vous saurez qu'on accuse votre neveu d'avoir volontairement mis fin à sa vie. Cette opinion atroce tend à se répandre et deviendra une certitude dans l'esprit de beaucoup de gens, si quelqu'un ne s'élève maintenant contre une erreur aussi injurieuse à la mémoire du mort qu'à la dignité de sa famille. Or, je suis seul à pouvoir établir que M. O'Donovan n'a jamais eu l'intention de se donner la mort comme il apparaît très clairement dans son manuscrit. Ce manuscrit est donc à la presse. Les épreuves vous seront envoyées ce soir même. J'espère, monsieur, que vous comprendrez les raisons.... etc.

II

CHARLES DRAYTON AU DIRECTEUR

Savannah, septembre 1895.

Monsieur,

Vous avez toute liberté de publier le manuscrit dont vous me parlez et vos raisons me paraissent bien trouvées. Il est regrettable, cependant, que vous n'ayez pu me communiquer ce manuscrit avant d'en avoir tiré les épreuves (j'attends toujours celles que vous m'annoncez) et c'est un trait d'ironie que de me demander mon permis d'imprimer lorsque vos machines sont en marche.

Il est bien entendu que vous prenez la responsabilité de toutes les petites calomnies qui auraient pu se glisser sous la plume de mon neveu. Je les lui pardonne, s'il s'en trouve dans son manuscrit, parce que sans le vouloir il dénaturait les faits qu'il racontait ; j'ai eu plus d'une fois l'occasion de faire cette remarque. Mais le public ignore ce défaut de son esprit et peut fort bien prendre pour la vérité ce qui n'est proprement qu'une fiction dans les pages que vous lui présentez. Je crois donc tout à fait nécessaire que vous publiiez à la suite de ces pages la relation que je vous soumets aujourd'hui. Elle a trait à moi aussi bien qu'à mon neveu. Elle rétablira les erreurs qu'il a pu commettre en même temps qu'elle complétera son récit là où il pourrait sembler insuffisant.

Mardi prochain je serai à Fairfax. J'aurai donc l'occasion de vous entretenir plus longuement de toute cette affaire. En attendant voici *mon* manuscrit.

Vous savez peut-être que je suis veuf. De ma femme je ne vous dirai rien, sinon que nous ne nous entendions guère et que six mois après mon mariage je m'aperçus de l'erreur que j'avais commise en l'épousant. Je résolus de la voir le moins possible et, puisque les circonstances nous obligeaient à vivre dans la même maison, de passer toute la journée dans ma bibliothèque où je m'enfermais à double tour. Ne croyez pas que cette claustration m'était pénible. J'aime les livres et l'étude par-dessus toute chose.

Ma solitude était parfaite. Je ne répondais jamais quand on frappait à ma porte et je ne sortais de ma bibliothèque que pour prendre mes repas. Vous devinez les scènes qui pouvaient s'ensuivre.

Je ne vous les raconterai pas parce qu'elles n'intéressent pas directement mon sujet. Des années passèrent. Ma femme était naturellement bavarde et souffrait de ne pouvoir me parler. Elle sortait peu pour des raisons qu'il est inutile d'expliquer. Elle lisait beaucoup.

Tout d'un coup je m'aperçus qu'elle était devenue vieille. On ne voit pas vieillir quelqu'un avec qui l'on vit tous les jours et l'on ne se rend compte du ravage que lorsqu'il est parfait, si j'ose dire, et qu'il éclate aux yeux. Maintenant, ma femme tricotait une partie de la journée et allait aux offices le reste du temps, car elle s'était mise à pratiquer la religion romaine avec minutie. Elle s'habillait de noir comme une veuve et me haïssait, comme on hait un mari qui devrait être mort et qui ne l'est point.

Elle reportait son affection sur son père que j'ai vu s'installer chez moi la semaine de mon mariage. C'est un vieillard acariâtre qui me méprise parce que je n'ai pas servi, comme lui, quatre ans sous un général du Sud. Il a quitté ma maison après la mort de sa fille.

Neuf ans après mon mariage, mon beau-frère, que je ne voyais jamais, succomba à une maladie assez mystérieuse, une sorte de mélancolie chronique qu'il combattit ou essaya de combattre avec des drogues. Je ne sais à quels excès il se porta, mais il mourut à peine âgé de quarante ans. Sa femme devint folle peu de temps après ; elle vit actuellement chez ses parents.

Mon beau-frère avait un petit garçon de dix ans et il se trouva que j'étais le seul à pouvoir recueillir cet enfant et m'occuper de lui. Je voulus m'en défendre, mais la loi intervint et me força la main.

Lorsqu'on l'envoya chez moi, Daniel était un petit garçon malingre, à l'air soucieux et dissimulé. Il était pauvrement vêtu et portait à la main une énorme valise qui contenait, je m'en souviens, des effets de rechange et quelques livres d'images. J'avoue que je n'aime pas les enfants. Je remarquai en celui-ci des choses que je trouvai singulières et assez déplaisantes. Il ne parlait presque pas quand j'étais présent et paraissait d'un naturel soupçonneux. Lorsqu'il se croyait seul, il regardait autour de lui d'un air inquiet et chantonnait à mi-voix. Parfois il sortait brusquement de la pièce où il se tenait et courait au jardin en criant. Sa tante le reprenait alors ; il se taisait et devenait rouge. Je l'observais beaucoup sans qu'il s'en doutât, voulant voir jusqu'à quel degré il avait hérité de l'humeur de ses parents.

Il semblait fort enclin à tomber dans la religion et les pratiques superstitieuses de sa tante et je la soupçonnais de l'envoyer en secret au catéchisme. J'essayais de le soustraire à cette influence et, quand je le pouvais, de lui inculquer quelques idées justes. Je le faisais venir dans mon cabinet plusieurs fois par mois et le sermonnais un peu, lui parlant surtout de ses devoirs d'être raisonnable, de sa dette envers ses prochains et envers lui-même. Cependant je me gardais de le pousser trop, de peur de faire violence à ce que la nature avait mis en lui. J'ai en effet une théorie particulière sur l'éducation des enfants. Je suis d'avis qu'on doit les laisser se développer librement et, pour ainsi dire, comme ils l'entendent eux-mêmes. Qu'ils jouent s'ils aiment à jouer, et s'ils aiment à lire qu'ils lisent ce qui leur plaira. Ils finiront bien par distinguer le bon du mauvais et découvrir ce qui leur convient. Je n'envoyai donc pas Daniel à l'école. Je l'abandonnai à lui-même, me réservant seulement de corriger en lui ce qui me paraissait artificiel et contraire à la raison. Je lui défendis d'aller à l'église, mais je lui laissai toute liberté pour le reste. Il aimait les livres ; je lui permis de choisir dans la bibliothèque du salon tous ceux qui pouvaient lui sembler intéressants.

Cependant il grandissait sous mes yeux et je commençais à former pour lui toutes sortes de projets. Il parlait de moins en moins et ne s'ouvrait un peu qu'à ma femme. Il avait l'air chétif et restait souvent de longues heures assis au jardin, parfois avec un livre, mais en général inoccupé et les mains jointes sur les genoux. Lorsqu'il eut achevé sa dix-septième année, je résolus de l'employer à mon service et d'utiliser en le développant le goût que je devinais en lui pour les choses de la littérature. Je m'occupe moi-même de recherches d'un ordre philosophique..., etc.

(Le reste de cette lettre est sans intérêt et n'apporte aucun élément nouveau à la relation de Daniel O'Donovan. Son auteur semble n'avoir écrit que pour le plaisir de se raconter.)

III

MISS SMYTH AU DIRECTEUR DE LA « REVUE DE FAIRFAX »

Fairfax, septembre 1895.

Monsieur,

Voici la relation de ce qui s'est passé chez moi entre le 2 et le 6 septembre dernier, c'est-à-dire depuis l'arrivée de Daniel O'Donovan dans cette maison jusqu'au moment où ce jeune homme l'a quittée. On commence déjà à rapporter des faits inexacts. Ne croyez, je vous prie, que ce que j'ai l'honneur de vous en dire moi-même.

Le 2 septembre je fus donc appelée à la porte d'entrée par un coup de sonnette assez timide et je crus, avant d'ouvrir, que c'était un pauvre, aussi éprouvai-je quelque surprise en voyant sur le seuil un jeune homme convenablement vêtu et portant une valise. C'était un étudiant, mais vous savez qu'il n'en vient jamais avant la deuxième semaine de septembre. Je m'étonnai que celui-ci se fût mis si tôt à la recherche d'une chambre. Il était pâle et se tenait un peu voûté comme s'il était las. Je n'aimais pas beaucoup son regard, mais il paraissait bien élevé et je lui montrai une chambre qu'il prit aussitôt. Il était seul.

Le lendemain matin, alors qu'il déjeunait, je montai à sa chambre en compagnie d'une servante, voulant me rendre compte par moi-même s'il avait toutes les qualités d'ordre et de propreté que j'exige de mes hôtes. Tout d'abord je fus très satisfaite. Il avait accroché ses vêtements dans un placard et rangé avec beaucoup de soin ses livres sur la cheminée, mais quand j'examinai ces livres, j'y découvris des choses qui me déplurent. C'étaient presque tous des romans dont quelques-uns, même, me semblaient des traductions d'œuvres étrangères. Enfin, je déplorai l'absence des Ecritures. J'augurai mal du choix de ces livres et je résolus de surveiller mon hôte sans qu'il pût s'en douter. Il remonta à sa chambre quelques minutes après que je l'eus quittée et n'en sortit plus jusqu'au lendemain, sauf pour déjeuner et dîner.

Dans le courant de l'après-midi j'eus l'occasion de monter au deuxième étage et comme je passais devant la porte de M. O'Donovan un bruit de voix m'arrêta. Vous ai-je dit que d'ordinaire je me tiens dans une petite pièce du rez-de-chaussée où je m'occupe à des travaux de couture ? De la fenêtre où je suis assise, je vois parfaitement la grille du jardin et par conséquent les personnes qui entrent et qui sortent. Or, comme il n'était entré personne ce jour-là, j'en conclus que M. O'Donovan parlait tout seul, et je l'écoutai. Il parlait trop bas pour que je pusse saisir tout ce qu'il disait, mais à en juger d'après le ton dont il prononçait certaines phrases, je compris qu'il se reprochait avec beaucoup d'amertume quelque faute qu'il avait commise. Je remarquai qu'il ne bougeait pas de l'endroit où il était, ce qui n'est pas l'ordinaire des personnes qui parlent seules. N'est-il pas vrai qu'elles aiment à se promener de long en large, tout en monologuant ? Au bout de quelques minutes, il se tut et je montai doucement au deuxième étage, non sans regretter d'avoir reçu chez moi un inconnu dont les manières me semblaient étranges.

Le lendemain il sortit d'assez bonne heure, vêtu avec plus de soin que le premier jour. Je choisis ce moment pour monter de nouveau à sa chambre. J'avoue que je crains par-dessus tout qu'on ne mette, par imprudence, le feu à ma maison. Cette peur ne me quitte jamais et elle est devenue une sorte d'obsession depuis que je loue quelques-unes de mes chambres à des étudiants. Je me méfiais de celui-ci plus que de tous ceux que j'avais reçus jusqu'alors. Mais sa chambre était en ordre ; je vis même avec surprise qu'il avait fait son lit, ce que je ne lui demandais pas. Je ne sentis aucune odeur de fumée et j'allais me retirer quand, en regardant une dernière fois autour de moi, je m'aperçus que les livres n'étaient plus sur la cheminée. Ils n'étaient pas non plus sur la table, ni dans le placard que j'entrouvris et je me demandais ce que le jeune homme avait pu en faire quand je les vis, tout à coup, rangés en tas sur la pierre du foyer. Je demeurai un instant stupéfaite. Evidemment l'intention de M. O'Donovan était de se défaire de ses livres en les brûlant, mais pourquoi donc les avait-il apportés chez moi si c'était pour les détruire le lendemain de son arrivée ? Cependant, j'avais trop de préventions contre ces livres pour ne pas applaudir à un tel projet, et, après un moment de réflexion, je résolus d'y prêter la main. J'allai donc chercher moi-même un paquet de bourrées que je disposai sous la trappe, puis, ayant baissé la trappe et ouvert la fenêtre, je mis le feu aux brindilles. Presque aussitôt tout se mit à flamber. Je relevai la trappe et retournai à mon travail après avoir envoyé la servante balayer la chambre.

Au bout d'une demi-heure je vis reparaître M. O'Donovan. Il marchait vite et pénétra presque en courant dans la maison.

Lorsqu'il eut refermé derrière lui la porte de sa chambre, je ne résistai pas à la tentation de monter après lui dans l'escalier et, reprenant mon poste de la veille, je me mis à écouter. A ma grande surprise le jeune homme ne dit rien pendant assez longtemps. Je l'entendis seulement faire quelques pas, puis il s'arrêta et se tint immobile. Je craignais moi-même de faire un mouvement de peur qu'il ne m'entendît, quand il prononça quelques mots que je ne compris pas et d'une voix si singulière, si altérée, que je me sentis prise tout d'un coup d'une étrange inquiétude, et je redescendis le plus doucement possible. En reprenant mon ouvrage je m'aperçus que mes mains tremblaient.

Maintenant, tout me portait à croire que ce jeune homme était fou. J'en conçus aussitôt une peur horrible que je maîtrisai cependant et dont je ne laissai rien paraître, mais l'après-midi même je me rendis chez mon cousin Thomas Thornton. Vous savez qu'il enseigne le droit et qu'il serait difficile de trouver quelqu'un de meilleur conseil. Je lui exposai toute l'affaire. Il m'écouta sans m'interrompre, puis il conclut de mon récit que, sans pouvoir dire que le jeune O'Donovan avait positivement perdu l'esprit, il était permis de croire qu'il souffrait d'un grand trouble moral et qu'en tout cas il convenait de le surveiller. Je lui demandai alors instamment de venir passer la soirée chez moi et d'observer Daniel O'Donovan pendant qu'il serait à table, ce que je n'avais pu faire moi-même puisque je m'occupe de la cuisine à l'heure où mes hôtes prennent leurs repas. Mon cousin hésita un peu, puis accepta et nous décidâmes...

(Nous interrompons ici le manuscrit d'Eliza Smyth pour donner le récit du docteur Thornton qui nous a paru plus complet et plus précis.)

Fairfax, septembre 1895.

Lorsque ma cousine m'eut expliqué le motif de sa visite, je me demandai si le cas était vraiment aussi grave qu'elle le pensait et s'il valait la peine qu'on dérangeât mon ami le docteur Dashwood, comme elle le demandait. Pour la tranquilliser cependant, car elle paraissait nerveuse, je la raccompagnai chez elle et lui promis d'y passer la soirée entière à l'effet d'observer moi-même le jeune Daniel O'Donovan. J'ai eu affaire à bien des gens dans le cours de ma carrière et je me flattais de découvrir sans peine le germe de la maladie morale dont souffrait ce jeune homme. On verra si j'y réussis.

Il était près de cinq heures quand nous arrivâmes chez ma cousine. Elle voulut tout de suite me faire monter dans l'escalier pour écouter à la porte de Daniel O'Donovan. Je n'aime pas ce genre de pratique, mais ma cousine insista au point que je dus céder et nous montâmes ensemble jusqu'à cette porte qui est au premier étage. Je restai quelques minutes immobile sans rien entendre et, supposant que le jeune homme était occupé à lire ou écrire, je dis à ma cousine que j'allais redescendre et qu'elle eût à me préparer du thé. Elle me suivit.

Pendant qu'elle était à la cuisine, je m'installai à la salle à manger et tirant un livre de ma poche je me mis à lire près du poêle. Miss Smyth reparut au bout d'un quart d'heure, portant elle-même un plateau qu'elle déposa sur la table. Elle avait l'air inquiète et me dit à mi-voix : « Je crois que j'entends quelqu'un descendre. Si c'est lui et s'il veut me parler, il faut que vous soyez présent. » Je lui représentai que son idée ne valait rien. Ne se troublerait-il pas en me voyant ? Il était donc nécessaire qu'elle le vît seule, mais aussi que j'entendisse ce qu'il avait à lui dire. Elle fit un signe de tête et sortit vivement, sans fermer la porte, en sorte que rien de ce qui pouvait se dire dans la pièce à côté ne devait m'échapper. J'aurais dû vous expliquer que cette pièce a vue sur le jardin et communique d'une part avec la salle à manger où je me trouvais, l'autre avec l'antichambre. C'est là que ma cousine travaille et qu'elle reçoit les personnes qui désirent lui parler. Ce n'est pas tout à fait un salon, mais, comme vous voyez, cela en tient la place. Lorsqu'elle y eut pénétré, j'entendis enfin les pas que son oreille plus fine avait perçus depuis un moment, mais ils passèrent sans hésitation devant la pièce où se tenait ma cousine et se dirigèrent vers le porche. Immédiatement, je regardai par la fenêtre d'où je pouvais voir la grille et l'allée du jardin, et je vis paraître le jeune homme dont il était question. Il était assez grand et se tenait mal. Il descendit l'allée jusqu'à la grille, marchant la tête baissée et les mains dans les poches quand tout d'un coup il se retourna vers la maison. Je pus alors examiner son visage. Il me frappa, je dirais plus exactement qu'il me choqua comme s'il eût été d'une laideur insupportable. Cependant il n'était pas laid, il avait seulement un air très soucieux. Aussi ne puis-je expliquer ma surprise et mon trouble lorsque je le vis se retourner vers nous. Peut-être était-ce quelque chose dans le regard.

J'entendis ma cousine pousser un cri : « Mon Dieu, Tom, dit-elle, regarde ce visage ! »

Daniel revint sur ses pas. Puis je l'entendis remonter les marches du porche et frapper au bout d'un instant à la porte de ma cousine. Il entra. Je regagnai sans bruit ma place près du poêle et j'entendis la conversation suivante. Daniel O'Donovan parlait d'une voix assurée, mais on devinait que ce ton ne lui était pas habituel et qu'il devait lui coûter un effort.

Il commença par expliquer qu'à la suite d'une circonstance malheureuse il avait perdu son argent, puis il s'arrêta. Il y eut un instant de silence et j'entendis ma cousine qui lui dit :

— J'espère que vous n'avez pas perdu cet argent au jeu, monsieur.

Il répondit aussitôt :

— Non, mademoiselle, je n'ai jamais joué de ma vie. On me l'a volé.

— On vous l'a volé ? En êtes-vous sûr ?

— Oui, j'en suis sûr.

— Connaissez-vous votre voleur ?

— Oui, mademoiselle, mais j'aimerais mieux ne pas parler de lui, si vous voulez bien.

— Eh bien, monsieur, dit ma cousine d'un ton un peu plus froid, qu'avez-vous donc à me dire ?

Alors il se mit à parler d'une voix si rapide et si indistincte que ma cousine dut l'interrompre et lui faire répéter certaines phrases, ou peut-être craignait-elle que je n'entendisse pas, et en effet je ne saisissais rien de ce qu'il disait. Enfin je compris aux réponses de ma cousine qu'il lui demandait de le prendre chez elle, non en qualité d'étudiant à qui on loue une chambre, mais comme un domestique que l'on convient de loger et de nourrir. Cette proposition me parut si singulière que je ne pus me retenir de m'exclamer, mais je crois qu'on ne m'entendit pas. Ma cousine se taisait. Je devinai qu'elle était plongée dans le même étonnement que moi et qu'elle ne trouvait rien à répondre.

Enfin elle dit brièvement à Daniel O'Donovan qu'elle réfléchirait à la demande, et il se retira. Il avait à peine refermé la porte derrière lui que ma cousine était devant moi. « Eh bien, cousin, vous avez entendu ? demanda-t-elle. Que dois-je faire ? »

Nous débattîmes la question quelque temps. A l'examiner d'un peu plus près, la demande de Daniel O'Donovan semblait assez raisonnable. Ma cousine était la seule personne qu'il connût ici. N'était-il pas naturel qu'il lui confiât ses difficultés ? Je lui fis remarquer, de plus, qu'il aurait pu sans doute écrire à ses parents, mais qu'il préférait, évidemment, se passer de leur secours. C'était un trait en sa faveur. Sa naïveté consistait à croire qu'il pourrait cumuler les devoirs de domestique et d'étudiant. Mieux valait ne pas le décourager encore. Il était si jeune ; on le découragerait toujours assez tôt.

Ma cousine se rendit à mes raisons, mais je sentais qu'il y avait en elle quelque chose qui résistait à mon conseil. Elle n'aimait pas O'Donovan. Moi non plus, je ne l'aimais pas ; je n'aimais pas ses yeux et une certaine lueur que j'y avais vue. Il avait l'air rusé et dissimulé d'une personne qui va commettre une mauvaise action. Cependant je craignais d'être injuste. Si je ne l'avais pas vu dans le jardin, si j'avais seulement entendu sa conversation avec ma cousine, j'aurais eu une bonne impression de lui, car sa voix m'inspirait confiance. Je ne dis rien de ce sentiment et conseillai à ma cousine de répondre au jeune homme qu'elle l'emploierait, par exemple, au service de la table et qu'il n'aurait à payer ni pour ses repas, ni pour sa chambre. Inutile de vous dire que ma cousine n'avait pas besoin d'un autre domestique, puisqu'elle avait déjà deux filles pour l'aider dans son travail, mais elle consentit par charité à mettre Daniel à l'essai. Je pris sur moi de lui chercher une petite situation en ville, chez un notaire de mes amis. En attendant, j'étais curieux de voir comment il se tirerait de la tâche qu'il acceptait aujourd'hui.

Ma cousine lui écrivit un petit billet qu'elle glissa sous sa porte. Le soir même Daniel descendit à la cuisine.

J'ai omis de vous dire que le jour précédent il était venu trois pensionnaires. C'étaient tous des jeunes gens de l'âge de Daniel, mais aussi gais qu'il paraissait grave. L'un d'eux l'emportait sur les autres par cette espèce d'esprit facile et railleur que l'on rencontre souvent chez les garçons de cette partie du pays. Il était plus grand que ses compagnons et leur parlait avec un faux air d'autorité qu'il finissait lui-même par prendre au sérieux, car il voyait qu'on l'écoutait avec une certaine admiration et qu'on ne manquait jamais de faire écho à son rire et à ses plaisanteries. J'eus l'occasion d'observer cela le jour de mon arrivée, alors que nous étions assis autour de la table en attendant qu'on nous servît à dîner.

J'avais donc le beau parleur à ma droite. A ma gauche se trouvait une dame vêtue de noir et les épaules couvertes d'un grand châle dont elle tenait les bouts croisés sur sa poitrine. Ses cheveux gris étaient partagés en bandeaux sur son front. Une grande sévérité marquait les traits de son visage; elle ne disait pas un mot, mais je voyais ses lèvres remuer en silence.

A côté d'elle était assise une femme beaucoup plus jeune et qui semblait être sa parente, peut-être sa fille ou sa nièce. Elle avait l'air presque aussi sérieuse que son aînée malgré la grâce et la douceur que respirait son visage. Elle portait ses cheveux le plus simplement et le plus modestement possible, mais elle ne pouvait empêcher des boucles épaisses de retomber autour de ses tempes lorsqu'elle inclinait la tête, ce qui lui arrivait souvent, car elle paraissait timide.

Cela faisait que nous étions six le jour où Daniel commença son service. Il entra à la suite d'une jeune négresse qui portait un énorme plateau et qui semblait faire un effort considérable pour ne pas rire. Je remarquai qu'il était plus pâle que je ne l'avais cru d'abord. Il avait les bras chargés d'assiettes qu'il se mit à poser devant nous, mais d'une main tremblante et comme si ses forces n'y suffisaient pas.

A ce moment la servante se retira. Daniel, qui avait fait le tour de la table, revint vers moi et me présenta le plat de viande. J'avoue que j'eus un mouvement d'impatience. Je ne pouvais souffrir le regard que le jeune homme jetait autour de lui. Il avait l'air affolé et les trois collégiens commençaient à en rire. Je lui dis à voix basse en lui prenant le plat des mains : « Allez vous asseoir. Nous passerons les plats nous-mêmes. »

Il m'obéit sans rien dire et alla s'asseoir sur une chaise près de la porte où je pouvais l'observer à mon aise. Il paraissait si troublé que je me défendis mal d'un sentiment de pitié. Mais après tout faisait-il donc quelque chose de si humiliant ? Moi-même j'ai travaillé comme garçon de salle au collège de Haymarket. C'était bien autre chose.

Je passerai rapidement sur les deux jours qui suivirent. Maintenant je prenais tous mes repas chez ma cousine. Daniel semblait s'habituer à son service mais il était distrait et lorsqu'il était inoccupé il regardait par la fenêtre comme s'il guettait la venue de quelqu'un. J'étais le seul à faire attention à lui. Je devinai que les collégiens ne l'aimaient pas ; ils affectaient de ne pas le regarder lorsqu'ils lui demandaient de chercher du pain ou de l'eau.

Quant aux deux femmes, elles avaient presque toujours les yeux baissés et n'échangeaient jamais une parole.

J'en arrive à présent au plus intéressant de toute cette affaire. Le soir du troisième jour, Daniel paraissait inquiet. Je le voyais froncer les sourcils en regardant par la fenêtre, mais il faisait noir. La lune ne s'était pas encore levée.

Mon voisin riait moins que le premier jour ; ses deux amis semblaient avoir perdu leur gaieté et j'en étais heureux pour Daniel, car ils auraient pu facilement se moquer de son air étrange et de ce regard absent qu'il portait vers nous lorsque nous lui demandions quelque chose.

Nous avions presque fini de dîner et Daniel était assis sur une chaise près de la porte de la cuisine. C'était sa place habituelle.

Je ne le quittais pas des yeux, mais il ne paraissait pas se rendre compte que je l'observais. Son regard était fixé sur la porte de cette petite pièce dont je vous ai parlé, celle qui communique avec l'antichambre. J'eus envie de lui demander ce qu'il regardait avec une telle attention, quand je m'aperçus qu'il parlait tout seul. Ses lèvres remuaient très vite et j'entendais une sorte de murmure. Je n'étais pas le seul à l'entendre. Mon voisin regardait Daniel avec une expression de crainte. La plus jeune des deux femmes le regardait aussi, mais d'un visage tranquille et sans la moindre surprise. Elle avait des yeux noirs pleins de douceur et de sérénité.

Tout à coup Daniel se leva et se dirigea vers la porte qu'il n'avait cessé de regarder. Il marchait lentement et comme si chaque pas lui coûtait un effort. Je ne savais pourquoi je me sentais si ému. Il me semblait que Daniel n'arriverait jamais à cette porte et qu'il allait tomber. Enfin il mit la main sur le bouton qu'il tourna vivement. Il sortit. Arrivé sur le porche il se mit à courir. J'entendis la grille qui battait.

Je crois que je me levai. La surprise m'empêcha un instant de parler. En regardant ma voisine, la plus âgée des deux femmes, je vis que le même sentiment était peint sur son visage.

— Que pensez-vous qu'il se passe dans l'esprit de ce jeune homme ? lui demandai-je enfin.

— S'il n'avait eu une expression aussi singulière en sortant, répondit-elle, j'aurais cru qu'il s'était trompé de porte. Mais il est sorti du jardin.

— Il est fou, dit alors mon voisin en rougissant. J'en suis sûr.

— Alors il faudrait courir après lui et le rattraper, dit la vieille dame en se levant.

La plus jeune femme s'était levée à son tour. Elle était devenue toute rouge et prononça quelques mots à mi-voix.

— Je crois qu'il est inutile de courir après lui, dit-elle

— Pourquoi ? demandai-je en même temps que ma voisine.

Elle dit alors ces paroles étonnantes :

— Parce qu'il est tombé entre des mains plus puissantes que les nôtres. Il est déjà loin et vous ne le rattraperez jamais.

Je me rassis en tremblant. Je savais trop bien que cette femme ne se trompait pas et que Daniel courait à sa perte ou à sa délivrance sans qu'aucune puissance terrestre pût le détourner de son but. Il ne pleuvait plus et la lune se levait. Une lumière indécise éclairait la route. Les jeunes gens étaient sortis dès le commencement de cette conversation en disant qu'ils rattraperaient Daniel facilement. A ce moment ma cousine parut, attirée par le bruit de cette petite scène. Je lui expliquai en peu de mots ce qui s'était passé. Elle nous regarda un instant sans rien dire, puis elle mit un châle et sortit. Je la vis qui traversait le jardin et ouvrait la grille. Elle se tint un moment sur la route, etc.

FRAGMENT D'UNE LETTRE DE MISS G.

(Elle fut publiée plus tard.)

... Je vous envoie par la même occasion le dernier numéro de la *Revue de Fairfax* qui ne manquera pas de vous intéresser. Vous me direz si vous connaissez une histoire plus singulière que celle du jeune O'Donovan. Il me semble qu'on aurait pu lui épargner l'horrible fin qu'il a soufferte et je ne suis pas de ceux qui croient aux explications surnaturelles qu'on en donne. Je pense tout simplement qu'il a été victime d'un accès de fièvre chaude de l'espèce la plus ordinaire et qu'il est criminel de ne pas l'avoir mieux surveillé. Mon frère n'est pas de cet avis. Il s'est tenu au courant de toute cette affaire et son opinion est que Daniel O'Donovan a été, comme il dit, frappé de la grâce ; mais, ajoute-t-il, cette grâce agit souvent selon le caractère de la personne qui la reçoit. Elle convertit les doux par la persuasion, elle jette en bas les violents et les orgueilleux. Dans l'âme de ce fou elle aurait agi, oserai-je l'écrire ? mais c'est lui qui parle, elle aurait agi follement, ou sagement, suivant qu'on se place au point de vue *terrestre* ou au point de vue *providentiel.* Il dit encore que cette mort précoce est une bénédiction et qu'elle termine au bon moment une vie d'incertitude et de misère spirituelle. Mon Dieu, comme ces hommes d'étude sont féroces ! Voilà un raisonnement qui vous fera frémir, mais vous savez que mon frère est un peu *latitudinaire* et je parierais que l'Eglise n'est pas du même sentiment que lui sur ces questions de la grâce. Bien entendu, vous ne direz pas un mot de tout ce que je vous écris.

N'êtes-vous pas surprise de ce petit sermon ? Vous ne vous doutiez pas que votre vieille amie trempait dans la théologie comme le premier presbytérien venu. Ecoutez maintenant ce que j'ai appris de positif sur l'histoire du jeune Daniel. Mais d'abord vous ai-je dit que j'ai connu sa tante alors qu'elle était fiancée ? La pauvre femme a fait un bien mauvais mariage. Croiriez-vous qu'elle a épousé un homme du Nord, et cela deux ans avant la guerre ? C'est un M. Drayton, de New York. Pendant la guerre il a vécu en Europe avec sa femme et en 1867 il est revenu à Savannah comme si rien ne s'était passé. On dit cependant qu'il ne se montre jamais. Je ne sais quel intérêt l'attache à cette ville. Mais je reviens à son neveu. Il dit qu'il a rencontré mon frère sur la route, un matin du mois dernier, mais mon frère ne sort que l'après-midi et il est de plus le seul ecclésiastique de la région. Il faut donc que le jeune homme ait imaginé une bonne partie de la promenade dont il nous parle. Cela infirme le récit tout entier, car s'il s'est trompé en cet endroit il peut s'être trompé partout. Il est également certain que le personnage qu'il nomme Paul est la création d'un esprit troublé, car les personnes qui ont connu Daniel O'Donovan s'accordent pour dire qu'il était toujours seul. Mais le plus étonnant de l'histoire n'est pas là. Vous saurez que le malheureux a cru recevoir un jour un billet de celui qu'il appelle Paul ; je dis *cru* recevoir ce billet, parce qu'en réalité il l'avait écrit lui-même, sans se rendre compte de ce qu'il faisait. N'est-ce pas là ce qu'on appelle l'*écriture automatique* ? Du reste vous en savez beaucoup plus que moi sur le fond même de cette étrange, de cette vilaine histoire, etc.

LES CLEFS DE LA MORT

Je tiens les Clefs de la Mort.
APOCALYPSE I, 18.

Chaque année, je vais passer quelques heures à Ferrière. C'est une assez grande propriété dont j'ai hérité à la mort de ma mère, mais où je ne me plais pas. Pour cette raison, Ferrière est à vendre et voici deux ans que la photographie de la vieille maison jaunit dans toutes les agences des villes voisines.

De temps en temps, j'apprends qu'un visiteur a l'intention de se rendre sur les lieux ; alors, j'écris aux gardiens, j'écris à l'agence, mais le seul visiteur qui prenne jamais la peine d'aller à Ferrière, c'est moi, car il faut bien que je voie si la maison n'a pas besoin de réparations.

Au cours d'une de ces visites, j'ai retrouvé dans un secrétaire le premier des deux manuscrits qu'on va lire. Je n'ai pas besoin d'expliquer ici les sentiments qu'il mit en moi, mais j'éprouvai aussitôt le désir de le compléter, comme s'il dût, un jour, passer sous les yeux d'un lecteur.

Telle est l'origine du second manuscrit.

1910.

L'autre jour, je m'étais couché dans l'herbe, devant la maison, et j'entendais le chant du faucheur qui allait d'un bout du pré à l'autre, assis tout en haut d'une machine aux roues grinçantes que tirait notre vieille jument. Mais je ne voyais pas le faucheur. Là où j'étais, l'herbe était encore épaisse et pleine de ces fleurs sans force et sans parfum qui vivent quelques jours dans le vent et le soleil. Elles s'inclinaient au-dessus de mon visage comme si elles eussent voulu me cacher aux regards du faucheur, mais, à la moindre brise, elles s'émouvaient et s'agitaient en tous sens. Et dans l'entrecroisement des tiges et des brindilles, le ciel était si clair et si pur que mes yeux se fatiguaient de le voir et que de lassitude je fermais les paupières.

C'est alors que le chant du faucheur parvenait le plus distinctement à moi, porté par le vent à la surface des herbes. Je ne sais pas ce qu'il chantait. Il était très loin, dans l'ombre des bouleaux qui marquent la limite de notre pré, et parfois je ne l'entendais presque plus, car il fallait qu'il descendît dans le grand creux qui est près de l'abreuvoir, et c'est là qu'il tournait, devant l'auge de pierre.

Pendant quelques secondes, je n'entendais pas autre chose que le murmure du vent, puis la voix du faucheur revenait peu à peu, et, dans la grande étendue qui va jusqu'aux bouleaux, je percevais le son un peu triste de ce chant campagnard et suivais ainsi le parcours du travailleur.

Je me disais : « J'attendrai qu'il soit allé une fois encore de l'abreuvoir aux bouleaux, puis je me lèverai et je rentrerai à la maison. » Mais je n'avais pas envie de m'en aller, vraiment, puisque je restais là, couché sur le dos et les mains jointes sous la nuque. Et puis, qu'aurais-je été faire à la maison ? Rien, assurément. Aucun travail ne m'astreint à être présent ici ou là ; je vis à ma guise, je ne suis soumis à aucune discipline et s'il me plaît de demeurer couché dans l'herbe la journée tout entière, qui donc me reprendra ? Ce ne sera pas ma mère dont le pas tremblant ne s'aventure jamais au-delà des premiers arbres de l'avenue, ni mon oncle qui ne pense qu'à ses randonnées dans les villes voisines. Mais quelque chose m'empêche de jouir pleinement du repos, de l'immobilité sous le ciel, une étrange inquiétude que je ne sais comment définir et qui empoisonne ma joie.

Lorsque le faucheur descendait vers l'abreuvoir et que sa voix ne parvenait plus jusqu'à l'endroit où j'étais couché, il me semblait qu'une autre voix s'élevait, et cependant je sais bien qu'il n'y avait personne d'autre, dans ce pré, que le faucheur et moi. Je ne suis pas un rêveur, un imbécile. Pour moi tout au moins, la terre ne chante pas, ne parle pas. Mais chaque fois que le faucheur disparaissait dans le creux et que sa voix ne se portait plus jusqu'à moi, il est certain qu'une autre voix se substituait à la sienne. On eût dit qu'elle reprenait le chant interrompu, mais sur un ton plus élevé, plus uni. Ce n'était pas le vent. Bien au contraire, si le vent se mettait à souffler, cette voix mystérieuse se taisait aussitôt et je n'entendais alors que le murmure indécis de l'air qui se déplace sans savoir où il veut aller. Mais, avec le silence, la voix revenait. Elle venait de toutes parts, de près et de loin, et je n'aurais pu dire si elle prenait naissance dans l'herbe à mes côtés ou aux confins de la grande plaine qui s'étend, par-delà notre pré, jusqu'au pied des collines. Elle ne ressemblait pas à une voix humaine, ni à aucun son que j'aie jamais entendu. Mais voici qui est plus curieux et que je n'oserais confier à personne, car qui donc me croirait si je lui disais que cette voix, déjà bien extraordinaire en elle-même, je ne la percevais plus dès que je tendais l'oreille ? Il fallait en effet que, me laissant tomber dans une sorte d'engourdissement, je fisse effort pour ne penser à rien. Je fermais les yeux. Alors ce son étrange accourait de toutes parts vers moi et chantait dans ma tête. Je restais immobile, je contenais même ma respiration, de peur que le prodige ne cessât tout à coup. C'était comme si des milliers de paroles m'étaient dites en une langue que je ne comprenais pas ; puis il arrivait un moment où la voix se faisait plus aiguë, avec un frémissement que je connaissais bien, et elle montait, montait avec une rapidité terrible pour finir en un cri qui retentissait douloureusement en moi. J'ai dit : un cri ; comment dire autrement ? Ce n'était pas un cri comme il en sort de notre poitrine et il n'exprimait rien d'une émotion humaine, mais il se produisait chaque fois que la voix du faucheur recommençait à s'élever dans le ciel, et dans mon esprit je ne pouvais m'empêcher de penser que si la voix mystérieuse se mettait à frémir et monter si vite, c'était pour échapper à cette voix humaine dont elle pressentait la venue et contre laquelle, pour ainsi dire, elle se fracassait comme contre un mur.

— A quoi penses-tu donc, Jean ?

Croit-elle que je vais le lui dire ? Non, mais elle me voit inquiet et silencieux, et elle me demande à quoi je pense, parce qu'il lui semble que sa conscience l'exige. Ainsi elle m'aura fourni l'occasion de me confier à elle si j'en éprouve le besoin, et elle aura rempli son devoir. Et je réponds :

— A rien. Au temps qu'il va faire.

Voyez comme elle est tranquille à présent ! Elle appuie un bras sur le dossier de ma chaise et se penche sur moi. Je sens ses lèvres sur mon front, sur mes cheveux que le vent a emmêlés, et déjà elle se redresse et elle s'en va dans la pièce à côté où bien des petites choses l'attendent : le linge propre qu'il faut examiner avec la femme de chambre, et puis ceci qu'elle a noté dans son esprit, et cela qu'elle se rappellera dans un moment. Elle a laissé les portes ouvertes, afin que l'air circule un peu dans la maison, car il fait chaud, et je la vois aller et venir de son petit pas soigneux et tremblant.

Voici deux ou trois heures, elle était inquiète au sujet d'Odile qui est tombée malade et que mon oncle est allé chercher à Soissons, mais maintenant elle n'y songe même plus. La première émotion passée, les soins du ménage l'ont reprise tout entière, et elle ne pense qu'à ses draps, ses mouchoirs, ses chemises où elle tremble de découvrir un trou, une déchirure. Elle est si petite dans son corsage blanc et sa jupe de toile, et si vieille ! Il y a des années qu'elle est vieille comme cela. Il me semble qu'elle a eu ses cheveux blancs tout d'un coup ; et son visage a dû se rider en un jour, en une heure, et ses épaules se voûter de même, après la mort de son mari. Mais on dirait qu'après l'avoir ainsi frappée et brisée la vie avait résolu de la laisser en paix, car voici quinze ans que les journées s'écoulent presque toutes semblables pour ma mère, égales, pleines de ces petites occupations qui la tiennent en haleine d'une saison à l'autre.

Dans cette pièce aux volets mi-clos où le linge est empilé sur le coffre jaune, je la vois qui se penche sur les chemises et les serviettes, les déplie, les regarde, murmure quelque chose, puis les tend à la femme de chambre qui se tient près d'elle et va les ranger dans un placard au fur et à mesure qu'elle les reçoit. Ensuite elles prennent un drap, chacune des deux mains, ouvrent les bras tout grands et reculent de quelques pas. Silence. Elles se sont placées près de la fenêtre et leurs yeux vont d'un bord à l'autre de la toile, avec l'effroi d'y découvrir un accroc. Mais il n'y a rien. Ma mère a dit : « Bon », et elles sont revenues l'une vers l'autre, elles ont replié le drap.

Je vois tout cela de l'endroit où je me tiens, comme je le vois depuis mon enfance, tous les jeudis, et cette scène m'est si familière que je ne sais comment dire l'effet qu'elle produit sur moi aujourd'hui. Il en est ainsi de certaines choses que l'on a observées avec attention bien des fois. Après avoir paru simples et naturelles pendant des années, il arrive un jour, un moment entre tous, où ces mêmes choses prennent un aspect extraordinaire, sans doute parce qu'elles se sont produites si souvent. Elles ne sont plus naturelles, mais brusquement deviennent étranges et presque fantastiques.

Cela, je l'éprouve aujourd'hui. Ces deux femmes qui vont l'une vers l'autre, devant une fenêtre, avec cette grande toile blanche au bout de leurs bras étendus, elles me donnent l'impression de n'être que des ombres, des fantômes, et que, dans cette pièce aux volets mi-clos, il n'y a en réalité personne, mais qu'une vision se joue de moi. Toutes deux vêtues de blanc, elles se tiennent maintenant immobiles dans la demi-obscurité, toutes deux attentives, les yeux attachés à ce drap comme à une grande page mystérieuse où elles liraient des destins. Et les paroles qu'elles échangent ensuite ne rompent pas le charme, car elles sont proférées tout bas, ni leurs pas sous lesquels le plancher plie à peine, mais, entre ces voix qui chuchotent et ce bruit léger des lattes qui gémissent, il me semble que ma vie est prise par je ne sais quel enchantement obscur et familier.

Je me lève, je quitte cette chambre, et le bruit de mes pas me réconforte, car mon pas est vivant. Plutôt que de rester dans cette maison où l'ombre est enfermée comme un trésor, j'aime mieux me promener dans l'air brûlant qui sèche les herbes, qui étouffe les fleurs, sous ce ciel cuivré qui reçoit sa lumière d'un soleil invisible et écrase la terre.

L'ombre des platanes est livide à mes pieds, je la distingue à peine sur le sol que la chaleur décolore ; les oiseaux se taisent, les feuilles sont immobiles, rien ne respire. Je ne veux pas rester ici, devant la maison. Je veux aller plus loin, jusqu'au sapin en bordure de la grande pelouse.

C'est là que je jouais autrefois avec Odile. Il fallait pour pénétrer sous cet arbre écarter les lourdes branches noires qui revenaient lentement à leur place et nous emprisonnaient dans une sorte de nuit miraculeuse, car tout autour de nous, entre les feuilles, nous voyions la clarté du jour répandue sur les prés, mais à cet endroit où nous nous tenions, ravis, la main dans la main, il faisait si noir que nous ne discernions pas les traits de nos visages.

Depuis ce temps, l'orage a frappé plusieurs fois le sapin et ses blessures sont multiples. Son ombre ne s'étend plus aussi loin et il a l'air de pencher d'un côté, parce que deux des branches qui partaient de sa cime se sont abattues sur la terre, il y a des années, mais son feuillage épais balaie encore le sol et, les jours de grand vent, sa ramure puissante grince avec le bruit d'un navire en mer.

Je l'attendrai ici. Dans un quart d'heure je verrai la voiture de mon oncle s'avancer jusque sous les platanes, s'arrêter devant la maison. Odile jettera les yeux autour d'elle, vers le sapin peut-être, mais sans savoir que je suis là et que je la guette. Elle descendra. A ce moment, ma mère paraîtra à la porte et lui dira : « Embrasse-moi, Odile. Jean est en promenade, mais il va rentrer. »

Alors je demeurerai immobile, j'écouterai ce que dira Odile, je ne perdrai pas un de ses gestes, et si elle tourne la tête à droite et à gauche, comme pour me chercher, il me semble que mon cœur n'en pourra plus de joie, et j'écarterai les branches, je courrai vers elle en criant : « J'étais là, je m'étais caché. »

1925.

Nous avons grandi ensemble, elle et moi, et c'est ici même que notre enfance s'est écoulée.

La maison est vieille et spacieuse. Elle domine les platanes de ses tuiles brunes, et les pierres de ses murs semblent aussi blanches et aussi propres qu'aux jours lointains du siècle passé où elles s'élevèrent sous les yeux prudents d'un architecte qui veillait à la dépense ; car c'était sa famille qu'il allait abriter sous ce toit et c'était sur une bourse assez modeste qu'il eût fallu payer bien des ornements inutiles que les gens du métier jugent indispensables. Ainsi donc, point d'entablements au-dessus des fenêtres, ni de balcons, ni de balustrades en fer forgé, ni de chaînons de pierre différente aux angles de la maison. Mais, du haut en bas, rien qu'une paroi bien nette et, en fait de balcons et de balustrades, une barre de fer à chaque fenêtre, solidement cramponnée à la pierre. Est-ce à dire que la maison ait l'air morose ? Loin de là. Les proportions sont justes ; tout y est large et bien espacé, et sur toute l'étendue de la haute façade, les arbres promènent des ombres indécises qui lui prêtent une vie mystérieuse, magnifique ornement, à coup sûr, et qui ne coûte rien.

Ma mère nous éleva tous deux. Petite-fille de l'architecte dont j'ai parlé, elle avait hérité cette maison à la mort de son frère aîné, et depuis sa naissance elle n'avait jamais vécu autre part. Comme moi donc, elle a grandi avec le murmure de la plaine dans les oreilles, et comme moi aussi, le silence des pièces vides a dû la faire tressaillir bien des fois.

Du plus loin que je puisse me souvenir, je l'ai toujours connue douce et bonne, sans gaieté, mais sans amertume, perpétuellement occupée de petits travaux qui ne lui laissaient jamais le loisir de me distraire un peu en me contant des histoires ou de se promener avec moi. Sans doute pensait-elle avoir fait assez de ce côté en me donnant comme compagnon de jeux la petite Odile, seule enfant d'une de ses cousines qu'elle avait perdue, et chaque fois qu'elle nous rencontrait sur son chemin, elle se contentait de nous dire : « Allez jouer », avec un geste des mains que je revois encore, les paumes tournées en dedans, l'une vers l'autre, et s'écartant ensuite à plusieurs reprises, comme pour chasser des moineaux. Il importait peu que nous fussions assis à terre, parmi nos quilles et nos soldats, si par hasard elle traversait la pièce où nous nous trouvions, et c'était toujours avec le même geste et les mêmes paroles qu'elle nous ordonnait d'aller jouer, sans pour cela s'arrêter ni même tourner la tête vers nous lorsqu'elle nous avait dépassés. Nous comprîmes vite, l'un et l'autre, qu'elle disait cela par acquit de conscience, comme pour nous faire comprendre qu'elle était là et qu'elle nous surveillait, et nous n'y fîmes plus attention.

Nos jeux étaient simples. Une de nos grandes joies était de nous glisser au salon où personne n'allait jamais, et de parcourir sur les mains et les genoux toute l'étendue de cette pièce solennelle. Cela était d'autant plus agréable que l'immense tapis qui recouvrait le parquet était fort épais et moelleux. Que de parties de cache-cache derrière les chaises et les fauteuils dans leurs housses de percale blanche ! Que de cris brusquement étouffés quand nous entendions au-dessus de nos têtes ou dans la pièce voisine le pas à la fois distrait et affairé que nous connaissions si bien ! Puis, lorsque, fatigués par cet exercice, nous nous laissions tomber à plat ventre, nous nous amusions à examiner les détails du tapis sur lequel nous étions couchés et à suivre du doigt les ramages compliqués dont il était couvert. Ce tapis n'existe plus, mais je l'ai regardé trop attentivement, trop avidement, pour n'en pas avoir conservé dans mon esprit une image précise. C'était, je crois, une imitation de tapis persan. Le fond en était pâle, à peu près de la nuance du sable gris, mais ce fond était peu visible, dissimulé comme il était sous une forêt de plantes monstrueuses dont les tiges drues et fortes se relevaient symétriquement comme les branches d'un candélabre. Des tigres, des jaguars, beaucoup d'autres bêtes dont nous ne savions pas les noms, rampaient et bondissaient à travers cette végétation étrange. Les couleurs les plus hardies égayaient le pelage des fauves ; mais quels étaient donc ces personnages que l'on voyait au cœur même des grandes plantes mystérieuses ? Ils se tenaient debout, les pieds à la naissance des tiges ; leurs turbans, leurs vestes brodées et leurs pantalons flottants retenus aux chevilles par des cordons, ce riche et bizarre costume nous jetait dans l'émerveillement. Ils avaient tous le même visage brun, les mêmes moustaches noires. Les uns bandaient un arc presque aussi grand qu'eux ; d'autres s'apprêtaient à lancer un javelot dans la direction des tigres rouges et des panthères bleues qui cherchaient à se dérober à leurs coups.

Je n'ai jamais su quel sens il fallait donner au motif que je viens de décrire et qui se trouvait répété près de vingt fois sur le tapis sans beaucoup de variations, mais il avait à mes yeux un caractère singulier que j'eusse été bien en peine de définir. Il me semble aujourd'hui que ce devait être quelque chose de sauvage et en même temps de sacré qui me plaisait ainsi dans le vieux dessin d'Orient, oui, de sacré dans les attitudes de ces chasseurs immobiles qui reproduisaient tous des gestes semblables, comme des prêtres dans une cérémonie, et de sauvage aussi dans cette impassibilité au milieu d'un massacre.

Et Odile ? Que pensait-elle de ces hommes et de ces

bêtes ? A genoux comme moi, et les poings dans la laine, elle allait lentement d'un coin du tapis à l'autre. Ses cheveux bouclés lui tombaient le long de chaque joue, à peu près, pensais-je, comme les oreilles d'un épagneul.

— Eh bien, lui disais-je, pour l'arrêter lorsqu'elle s'éloignait trop vite de moi, tu crois qu'ils auront assez de flèches et de javelots pour tuer toutes ces bêtes ?

Ou bien :

« Tu crois qu'ils s'habillaient ainsi autrefois ?

Odile secouait la tête dans de vains efforts pour écarter les boucles de son visage. Je voyais un instant ses yeux gris qui me regardaient sous ses sourcils froncés, puis ses cheveux retombaient sur ses joues comme un rideau.

— Je ne sais pas, disait-elle, d'abord ce ne sont pas de vraies personnes.

Elle avait deux ans de moins que moi et parlait encore avec un zézaiement qui me faisait sentir toute la supériorité que j'avais sur elle. Il m'était impossible de tirer de cette petite fille une autre réponse que celle que je viens de dire. Un jour, pourtant, comme je lui demandais encore une fois s'il y aurait assez de flèches et de javelots, elle parut frappée de cette question qu'elle avait entendue bien souvent, et je la vis se retourner vers moi.

— Ils ne tirent pas sur les bêtes, dit-elle.

Je ris.

— Pas sur les bêtes ? Mais si ; c'est une chasse, voyons.

— Non, reprit-elle, ils ne regardent pas les bêtes ; c'est nous qu'ils regardent.

C'était vrai. Tous ces yeux fixes étaient plantés sur nous. J'en eus une sorte d'inquiétude qui me contraignit à rire de nouveau.

— Enfin, ils ne tirent pas sur nous, avec leurs arcs ? demandai-je après un instant.

— Si, fit-elle, seulement ce ne sont pas de vraies personnes.

Et elle reprit son voyage, rebroussant la laine du tapis sous les pointes de ses bottines.

Etrange petite fille ! Pour moi comme pour tout le monde, elle avait ce visage fermé, ce regard plein d'une pensée qu'elle gardait secrète, et si parfois elle s'échappait à me dire quelque chose qui me permît de deviner ce qui se passait dans son esprit, cela ressemblait à une inadvertance et je sentais qu'elle m'en voulait comme d'une trahison. C'était sans doute ce qui m'attachait à elle : j'admirais confusément cette précoce volonté de se refuser au regard du monde.

Il est temps maintenant que je parle d'une autre personne qui vivait avec nous à Ferrière. Je serais tenté de dire qu'elle n'aurait jamais dû y mettre les pieds, si je n'avais résolu de laisser au lecteur le soin de former lui-même son opinion sur ce point.

Lorsque je pense à Clément Jalon, je le revois presque toujours tel qu'il était le matin de son arrivée chez nous. Cela tient sans doute à ce qu'il ne changea guère par la suite, d'une manière ou d'une autre. Dans tous les cas, l'impression que je reçus de lui ce jour-là fut si forte et pour ainsi dire si violente en sa netteté, qu'elle ne s'est jamais effacée de ma mémoire.

Il n'était pas tout à fait l'heure du déjeuner, par une matinée de mai ou de juin, quand le bruit d'une automobile m'attira à la fenêtre, à cette même fenêtre près de laquelle je trace ces lignes à présent. En me penchant un peu, j'aperçus entre les platanes une petite voiture rouge d'un modèle qui paraîtrait aujourd'hui bien ridicule. Elle s'arrêta. Un gros homme l'occupait, qui semblait fort indécis et demeura un assez long moment sans faire un geste, les mains à plat sur le volant et le nez baissé. Dans le silence, j'entendis tout à coup la voix de ma mère qui criait du haut de l'escalier : « Eh bien, qu'est-ce que c'est ? Qui est-ce ? » Alors, l'homme redressa la tête comme si on l'eût tiré d'une rêverie profonde, et, d'un brusque mouvement de tout son corps, il se souleva sur son siège et enjamba la porte de la petite voiture.

C'est à cet instant que je le vis tel qu'il était, tel que je le vois, pourrais-je dire, car je croirais volontiers qu'il est là, sous mes yeux, comme un revenant. Il n'est pas grand, mais il est fort. Il ne bouge pas, maintenant qu'il est debout ; il attend sans doute qu'on vienne à lui. Cette façon qu'il a d'enfoncer les poings dans les poches de sa veste grise, de se tenir les jambes écartées, la tête un peu de côté, le chapeau *melon* posé de travers sur le crâne et dans le sens opposé à celui où penche la tête, est-ce cela qui me déplaît si fort ? Il faut bien le croire. Je ne distingue pas son visage, je n'ai pas encore entendu sa voix, mais il me suffit de le voir une seconde pour souhaiter qu'il s'éloigne aussitôt.

Ma mère accueillit Jalon avec une bonne grâce qui me désespéra. Elle vint vers lui et prit la main qu'il lui tendait. Mon cœur se serra ; je quittai Odile qui jouait à mes côtés et sans rien dire je descendis.

De l'escalier, j'entendis ma mère qui répondait aux questions de Clément Jalon. La pauvre femme parlait d'une voix hésitante qui faisait croire à chaque instant qu'elle allait se reprendre. Le trouble où elle semblait être me remua. Je la vis se retourner vers moi au bruit de mes pas sur la pierre et, pour la première fois de ma vie, je lus dans son regard une expression de détresse que j'y retrouvai souvent par la suite. Il me sembla que ma présence la réconfortait un peu, car elle eut une espèce de sourire qui découvrit ses dents, mais ses yeux demeuraient hagards. Je courus à elle.

— Mon petit, commença-t-elle.

— Mon petit, dit Jalon en me prenant sous les bras pour m'élever ensuite jusqu'à la hauteur de sa tête, je m'appelle M. Jalon et je suis le cousin de ta maman, comprends-tu ?

Il avait la voix de gorge d'un homme qui boit et fume beaucoup. Comme il me portait en l'air, j'eus le temps de voir son visage et fermai les yeux.

« Pourquoi fermes-tu les yeux ? reprit-il, tu as le vertige ? Mauvais, cela. Il faut t'aguerrir. Tiens.

Il me reposa sur le sol, mais si vite que je crus qu'il me laissait tomber, puis il m'éleva plus vite encore que la première fois et me tint à bout de bras au-dessus de lui.

— Mon Dieu, fit ma mère.

— Qu'est-ce que vous craignez ? demanda Jalon en me rendant ma liberté. Vous n'avez pas peur que je vous le casse, peut-être ? Comment s'appelle-t-il ? Petit, comment t'appelles-tu ? répéta-t-il en se baissant vers moi, les mains à plat sur les cuisses.

Je le regardai. Sa face était lourde, avec une chair épaisse, sillonnée de longs plis. Un tic lui faisait battre des paupières trop vite et trop souvent. Des pattes noires descendaient le long de ses joues, mais le reste de son visage était glabre et son menton luisait. Je ne distinguai pas la couleur de ses yeux.

« Allons, dit-il en me serrant le bras comme pour m'encourager.

Je lui dis mon nom. Il leva la tête et demanda à ma mère :

« C'est ainsi que s'appelait son père ?

— Son oncle, corrigea ma mère, mon frère aîné.

— Parbleu, dit Jalon en se redressant, je n'y pensais plus.

Il battit des paupières et tira de sa poche un lorgnon qu'il mit aussitôt. Cet instrument le rendait hideux. Son regard se promena un instant sur la partie de la maison que l'on pouvait voir entre les arbres.

« Mes compliments, dit-il.

Ma mère baissa la tête. Il y eut un silence pendant que Jalon, les poings dans son veston, jetait les yeux d'un côté, puis de l'autre. Au bout d'un moment, nous entrâmes. Comme je marchais derrière ma mère et lui, je remarquai combien elle avait l'air chétive auprès de cet homme.

A partir de ce jour, Jalon vécut chez nous. Je ne saurais dire l'impatience que j'avais de le voir s'en aller, mais une année passa, puis une autre, et je me répétais avec tristesse qu'il ne quitterait Ferrière que les pieds en avant, comme on dit, car il semblait résolu à y demeurer jusqu'à la fin de sa vie. Je me souviens qu'il avait coutume d'appeler ma mère : maman, bien qu'il ne fût pas son fils, et moi, par un usage obscurément établi, je ne lui disais jamais autre chose que : mon oncle, alors qu'il n'était pas mon oncle, mais seulement un parent fort éloigné de mon père. C'était du reste un trait de son caractère de s'être installé, si j'ose dire, dans nos habitudes de famille, à tel point qu'on lui donnait un nom auquel il n'avait pas droit, et que, d'autre part, il avait réussi à se mettre, par rapport à ma mère, sur un pied d'égalité avec moi. N'avait-il pas obtenu qu'on lui répondît : mon fils, ou mon petit, lorsqu'il disait : maman ?

Certes il en imposait à ma mère. D'abord, sans être très grand lui-même, il était beaucoup plus grand qu'elle, et cela explique bien des choses. Il fallait, pour lui parler, qu'elle levât la tête, et alors que voyait-elle ? Une face brune, rejetée en arrière, des yeux fort noirs, qui, étant donné la position générale de la tête, ne regardaient jamais que de dessous les paupières, une large mâchoire toujours prête à mâcher, vigoureuse, agressive, rasée de frais deux fois par jour, toute bleue et toute luisante. Et lui, que voyait-il ? Une petite figure mince, aux yeux pâles, une bouche aux lèvres sans couleur et qui souriait en lui parlant, comme on sourit à quelqu'un que l'on veut apaiser. Les conversations entre ma mère et Jalon étaient rares.

Toutefois, dans les premiers temps, ma mère et Jalon eurent plusieurs longs entretiens, mais je dus attendre ma seizième année pour savoir de quoi ils avaient parlé. Il s'agissait, je le comprenais bien, d'un de ces secrets pour lesquels les familles se feraient hacher, qu'elles gardent jalousement comme elles veillent sur leurs portraits et leurs bijoux et qu'elles se lèguent d'une génération à l'autre. Qui donc était ce Clément Jalon et comment se faisait-il qu'on n'eût jamais prononcé son nom devant moi ? A quoi devait-il de pouvoir nous parler avec un calme plein d'insolence, de se chauffer à notre feu comme s'il était le maître de Ferrière, plantant son fauteuil devant l'âtre, appuyant ses pieds aux chenets, tandis que ma mère et moi nous nous contentions d'une petite place à sa droite et à sa gauche ?

Parfois il m'arrivait de trouver ma mère les yeux pleins de larmes qu'elle essuyait d'un geste rapide, en me voyant.

— Que fais-tu ici ! me disait-elle d'un ton irrité que je ne lui avais pas connu jusque-là. Va donc jouer avec Odile.

Mais jouer avec Odile ne m'amusait plus comme autrefois. Son silence, ses façons têtues que j'admirais jadis me lassaient à présent ; je m'aperçus qu'elle m'ennuyait. Cependant, j'étais curieux de savoir ce qu'elle pensait de Jalon, et, comme si elle eût deviné que c'était la seule manière qui lui restait de m'intriguer encore, elle n'avait garde de répondre aux questions que je lui posais.

Quelle joie c'eût été, pourtant, si j'avais pu lui parler à cœur ouvert, lui expliquer tous les griefs que j'avais contre ce gros homme ! Je n'en pouvais plus de porter en moi tout le dépit dont sa présence me faisait souffrir. Parfois, j'imaginais qu'elle partageait le sentiment que j'éprouvais à l'égard de Jalon : quelque chose dans sa mine me le faisait croire, un regard qu'elle lui avait jeté. Mais, un instant plus tard, elle anéantissait mes illusions en souriant à mon ennemi, en lui posant de ces questions niaises qui forment le fond de tant de conversations entre grandes personnes et dont elle attrapait le tour avec le talent d'imitation qu'ont presque toutes les petites filles :

— Avez-vous passé une bonne journée, monsieur ?

Alors Jalon riait pour se moquer d'elle, et elle riait avec lui. Pourquoi faisait-elle cela ? Ne devinait-elle pas toute la haine que ce jeu remuait en moi ? Lorsque je les entendais rire ainsi en m'observant du coin de l'œil, il me semblait que ma vue s'obscurcissait, et, dans la fureur qui s'emparait de moi, je confondais ces deux figures, la beauté rayonnante de l'une et l'absurde laideur de l'autre, et ces voix résonnaient à mes oreilles avec un son étrange, à la fois lointain et assourdissant. Et bientôt, j'entendais ma voix qui répondait docilement aux questions de Clément Jalon, ma voix un peu rauque disant : « Mon oncle », à cet homme qui n'était pas mon oncle et que j'eusse vu mort avec joie.

Aurais-je pu dire à ce moment ce que je ressentais pour Odile ? Certes, elle m'irritait au point qu'il me semblait bien que je l'eusse volontiers frappée, giflée, jetée à terre. Mais si je souffrais tant de la gaieté qu'elle excitait chez Jalon, n'était-ce pas parce que je voyais s'établir entre eux une espèce de complicité ? Ah ! la voir d'accord avec cet homme, n'était-ce qu'un instant, quelle humiliation pour moi ! Et cependant, lorsque je la voyais seule, en train de lire ou de coudre, il me venait rarement à l'esprit de lui parler, car, seule, elle m'ennuyait.

Quoi qu'il en soit, je ne veux pas entraîner mon lecteur à travers le labyrinthe de ces sentiments compliqués, et les faits que je vais rapporter maintenant sont en eux-mêmes plus éloquents que tous les discours sur ce point. Une chose bien certaine, c'est que je craignais Jalon ; je le craignais parce qu'il était fort et que son poing était gros, et puis, pourquoi ne pas le dire ? à cette époque j'étais lâche, je tremblais facilement, j'avais peur dans l'obscurité, par exemple.

Jalon m'invitait parfois à sortir avec lui. J'aurais fort bien pu refuser, mais, quelque étrange que cela paraisse, j'acceptais. N'est-il pas étrange en effet de se promener avec quelqu'un que l'on déteste ? C'était pourtant ce qui m'arrivait une ou deux fois par semaine. La petite voiture rouge nous emportait, hiver comme été, à travers la belle campagne que j'aimais tant à contempler de ma fenêtre. Jamais Clément Jalon ne faisait un pas qui ne fût absolument nécessaire ; il marchait lentement, lourdement, avec quelque chose de contraint qui me porte à croire qu'il souffrait de la goutte ; mais, assis dans sa voiture, il semblait tout autre, car il y était à son aise. Alors, ses mains qu'il enfonçait dans son veston, lorsqu'il était debout, comme des instruments inutiles, ses grosses mains sortaient de ses poches et s'animaient d'une vie nouvelle, tournaient des clefs, desserraient des freins avec une légèreté à laquelle je ne m'habituais jamais. Je m'en souviens au point qu'il me semble les voir : elles paraissaient à peine poser sur le volant, et, bien qu'elles fussent de taille à rompre du fer, elles donnaient dans ces moments-là une étrange impression de délicatesse. Inutile de dire qu'il conduisait à merveille et qu'il n'allait jamais si vite qu'il ne pût, s'il le voulait, s'arrêter aussi promptement que le permettaient les moteurs de cette époque. Cette espèce d'agilité que lui procurait sa machine compensait dans une large mesure la façon pesante et disgracieuse dont il se mouvait lorsqu'il était à pied ; il en résultait que son humeur généralement taciturne faisait place, dans ces promenades, à des manières moins rogues et plus liantes.

Un regard jeté de côté suffisait toujours pour me forcer à lui répondre, lorsqu'il me parlait, et si le bruit de mes paroles se perdait dans le vent, ce qui arrivait souvent, car nous ne lambinions pas, il poussait une espèce de grondement d'impatience et m'ordonnait d'enfler la voix comme lui, pour me faire entendre. De ces conversations à tue-tête il me reste un souvenir confus, mais non désagréable. Au début, cela m'irritait d'avoir à parler de choses que j'eusse volontiers gardées pour moi, par exemple, ce que je pensais d'Odile, question qui revenait souvent et que je n'ai pas oubliée ; mais, par la suite, cette violence qu'on faisait à mon penchant cessa de me déplaire tout à fait, je trouvais moins gênant d'avoir à crier qu'Odile avait sans doute de beaux yeux, mais qu'elle m'ennuyait. Cela me soulageait de parler ainsi. Souvent même, stimulé par le son de ma propre voix, je me laissais entraîner à dire n'importe quoi, je criais des mensonges, j'inventais des sentiments que je n'avais jamais éprouvés et dont la violence ne manquait pas de me surprendre moi-même.

— J'espère bien, disais-je quelquefois, qu'Odile a des parents qui vont s'occuper d'elle bientôt. S'imagine-t-on qu'elle va nous rester sur les bras jusqu'à son mariage ?

Aujourd'hui encore, je suis bien en peine de savoir où j'allais chercher qu'Odile pût avoir des parents, alors que ma mère m'avait dit bien des fois qu'elle était seule au monde, mais ce ton hargneux que j'affectais me réconfortait étrangement. J'y voyais sans doute une sorte de revanche de tout ce que le silence d'Odile me faisait souffrir.

A tous ces propos, Jalon ne répondait pas grand-chose, mais, parfois, haussait les épaules avec bonhomie. Je n'ai jamais pu démêler au juste quel intérêt il prenait à m'entendre. Peut-être ne m'écoutait-il guère ; je crois plutôt que, souffrant difficilement d'être seul, il m'emmenait avec lui dans ses promenades à peu près comme il eût emmené un chien, s'il en avait eu un, et il me faisait parler, me semble-t-il, pour la même raison qu'il eût pincé l'oreille de son épagneul, uniquement afin qu'un être animé révélât sa présence à ses côtés par un cri quelconque. Je ne dis pas du tout cela pour le charger, car j'ai moi aussi la même horreur de la solitude, le même besoin de sentir quelqu'un respirer près de moi, et, du reste, j'aurais eu grand mal à trouver dans le caractère de Jalon, ou du moins dans ce que je pouvais connaître de son caractère à cette époque, un trait qui le noircît suffisamment pour justifier ma haine ; et puisque me voilà sur ce chapitre, je me hâte d'ajouter que, par une singularité déconcertante, je ne détestais Jalon qu'à certains moments et en certaines circonstances.

Je m'en aperçus un jour que nous rentrions de promenade. Ma mémoire est ainsi faite que je ne me rappelle aucun événement d'ordre intérieur sans qu'aussitôt les circonstances extérieures qui l'ont accompagné me reviennent à l'esprit. Ainsi je me vois fort bien descendant de la petite voiture rouge de Jalon, par une matinée d'automne, une branche de peuplier à la main. Je me tiens un instant immobile, près d'une petite vasque de fonte où les oiseaux viennent boire lorsqu'il a plu. Dans cette attitude, je roule vingt pensées dans ma tête.

« Pourquoi, me dis-je, est-ce que je sors ainsi avec Jalon s'il me déplaît si fort ? »

Et je réponds moi-même, immédiatement, à cette question :

« Mais il ne me déplaît plus autant. — Comment, s'écrie alors cet autre interlocuteur surpris et irrité dont la voix retentit en moi, Jalon ne te déplaît pas ? Mais lève les yeux, regarde qui vient vers lui ! »

Alors je lève les yeux et je vois Odile dans sa robe de percale blanche. Elle est si jolie qu'elle donne envie de rire. Elle vient dans ma direction, mais son regard n'a fait que glisser sur mon visage et ce n'est pas moi qui l'intéresse, c'est ce ridicule, cet ignoble Jalon à qui elle va dire bonjour. Aussitôt je deviens tout rouge, mon cœur se met à battre, je ressens brusquement ce trouble que je connais si bien, mais dont la cause m'a paru si mystérieuse jusqu'à cet instant où elle m'est révélée tout à coup. Je comprends enfin tout ce qu'il peut y avoir d'étrange dans les relations de trois êtres humains. Cette petite fille m'est indifférente lorsqu'elle est seule et je ne tournerais pas la tête pour la voir ou lui parler ; je sais d'autre part qu'une heure passée avec Clément Jalon m'amuse plutôt qu'elle ne m'irrite, mais dès qu'Odile et cet homme se trouvent en présence l'un de l'autre, ils changent, oui, ils se transforment en d'autres êtres dont tous les gestes me sont odieux. J'entends le sang qui bat dans mes veines, derrière mes oreilles. Ils sont devant moi, tous les deux, comme les personnages d'un rêve ; leurs regards, leurs paroles ne sont plus comme les regards et les paroles de vivants. Qu'ont-ils donc ? Je ne les vois plus comme ils devraient être, leurs traits se brouillent, on dirait qu'ils ont des masques et qu'ils jouent des rôles. Mais moi, je ne bouge pas de l'endroit où la surprise, puis l'effroi me commandent de rester.

Cet enchantement qui me tient immobile ne dure pas, cependant. A la première angoisse succède quelque chose comme un brusque excès de force. Je garde le silence, mais en moi tout est tumulte, je n'ouvre pas la bouche, mais une sorte de rugissement continu que je suis seul à entendre s'enfle et retentit sous mon crâne. Qu'ai-je donc, moi aussi ? Je n'ai rien. Ces cris, cette violence ne viennent pas de moi. Je suis étranger à cette fureur qui fait trembler mes mains, qui m'échauffe le visage jusqu'à ce que la sueur me coule sur les joues, mais je la crains plus que je ne craindrais la rage d'un autre, car je ne la domine pas et ne peux la fuir. Elle est là, de plus en plus impérieuse, elle gronde comme un démon ; il faudra que je me soumette et que je lui obéisse, que je frappe si elle veut que je frappe, que je lui permette de se libérer ; car je suis pareil à une prison trop étroite habitée par un prisonnier monstrueux qui en ébranlerait les murs de son épaule.

Il faut donc que je cède, parce que je n'en peux plus. En ce moment je n'existe que pour trembler. Je suis la chair d'un être invisible qui ne souffre pas que je lui résiste ; il crie. N'avez-vous jamais entendu chanter le sang dans vos veines, alors que la fièvre vous tient ? C'est une toute petite voix nasillarde qui ne s'élève jamais d'un ton, mais raconte gaiement de longues histoires. Eh bien, mon sang à moi hurle en parcourant mon corps ; il monte et descend dans ma tête avec un bruit terrible comme les appels d'un homme qui va tomber dans un gouffre ou que la mer engloutit.

J'ai le vertige, j'essaie de fermer les yeux, mais qu'est-ce que ma volonté en ce moment ? Je ne peux pas fermer les yeux ; au contraire je regarde Odile comme je n'ai jamais regardé personne de ma vie. Elle est à deux mètres de moi. Le vent soulève un peu ses cheveux pour me montrer son cou. Dans l'espèce de tourbillon où je suis, je conserve assez de lucidité pour noter de toutes petites choses. Tout à l'heure, ma vue se brouillait, mais maintenant il me semble qu'elle n'a jamais été aussi aiguë, aussi nette. La petite veine bleue qui court sous sa peau, derrière l'oreille, comme elle est fine ! Elle ressemble à la tige d'une fleur. Et le soleil qui effleure sa joue, on dirait qu'il n'a été créé que pour luire à ce moment, sur la chair de cette petite fille. Elle est si belle que je me demande si elle existe, et alors j'entends le monstre qui est en moi crier tout à coup quelque chose d'intelligible : « Elle est à toi, prends-la ! »

« Prends-la », cela veut dire : « Serre, broie dans tes mains ce visage, ce cou, cette chair où palpite la veine bleue. Tout cela est à toi, cette bouche qui parle à un autre, ces yeux qui le regardent. »

Je souffre trop dans mon enfer. Mon corps ne m'obéit plus, ma main se lève d'elle-même. Je fais un pas. Une sorte d'applaudissement tumultueux retentit en moi, comme le bruit d'une foule qui n'en peut plus d'attendre et qui voit enfin contenter son désir.

Que se passe-t-il ? Jalon me regarde et s'arrête de parler tandis que la petite fille lit la confusion sur ses traits. C'est ainsi que l'on voit dans un miroir ce qui se passe en arrière de soi. Elle se retourne vers moi et n'est pas effrayée. Elle n'est pas même surprise, elle est calme. Son regard n'est plus celui d'un enfant ; il est profond et dur. La prunelle de ses yeux est devenue toute noire. S'il n'y avait ce silence, je penserais qu'elle me parle, mais c'est un silence extraordinaire qui s'étend sur tout, et je n'entends plus rien en moi ni autour de moi. La vie est suspendue, comme à l'heure qui précède le jour, lorsque le dormeur s'éveille et qu'il s'effraie de la rumeur de son propre souffle dans la paix surnaturelle de l'aube. Que me dit-elle ? Il me semble que le jour s'obscurcit, que tout défaille et s'évanouit brusquement derrière elle, et je ne vois plus qu'un visage blanc qui tremble comme au fond d'une rivière, et deux yeux sombres au regard immobile.

A quelque temps de là, je tombai malade. Ce n'était rien de très effrayant, mais je n'en dus pas moins demeurer couché pendant plus de deux mois. La vie ressemble parfois aux livres et se charge de ménager elle-même des transitions d'une période à l'autre. Je compare donc ces deux mois d'immobilité à l'espace entre deux chapitres ; mais, de même que, dans un livre, cet espace est plein de choses que l'auteur ne fait que laisser entendre, ainsi l'on verra que je retrouvai la santé dans des circonstances bien différentes de celles où je la perdis.

Ma mère passait près de moi la plus grande partie de la journée. Mon état lui avait fait peur, en effet, et, comme elle avait l'imagination forte, elle ne se remettait pas des alarmes que je lui avais données tout d'abord. Jusqu'aux dernières heures de ma convalescence, elle se tenait dans ma chambre, comme si elle eût craint je ne sais quelle rechute soudaine et irrémédiable, due au fait que j'avais été obligé de ramasser moi-même mon oreiller tombé à terre, ou de faire un effort pour atteindre un verre d'eau placé trop loin. Je connus pour la première fois la profondeur de son amour à la façon incessante dont elle m'agaçait. Il n'était pas rare qu'elle me donnât la fièvre et ses recommandations me faisaient presque autant de mal que les médicaments qu'elle me forçait à prendre. Plus tard, elle retrouva ses façons distraites d'autrefois et moi mon indépendance, mais, tant que je fus malade, son zèle ne désarma point et ne me laissa de repos que la nuit.

Chose étrange, inconcevable sans doute, elle ne me permettait jamais de dormir le jour. Cela l'épouvantait de me voir les yeux fermés, la tête renversée en arrière. Aussi, lorsque j'avais mal ou peu dormi la nuit précédente et que, dans la lumière du matin suivant, je savourais les délicieuses approches du sommeil, ma mère, d'une main inquiète, tirait la manche de ma chemise :

— Jean, Jean, qu'as-tu donc ? Tu somnoles. Tu ne te sens pas bien ?

Mon immobilité la jetait hors d'elle : elle croyait me voir mort, et pour calmer son appréhension elle faisait de grands éclats de voix et me ramenait ainsi à la vie consciente.

Mais en voilà assez, et si je veux faire sortir ce récit de l'ornière de l'enfance, il est temps que je me dépêche. J'ai dit que de grands changements s'opérèrent pendant ma maladie. Le principal fut que, m'étant couché enfant, j'étais un homme lorsque je revins à la santé. Cela n'est pas une figure : la réclusion que j'avais dû accepter porta ses fruits, réduisit mon impatience, humilia ma vanité en me soumettant aux ordres et même aux caprices de ma mère que j'aimais sans la respecter, bref, réprima en moi tout ce qu'il y avait de turbulent et de jeune. J'entrais alors dans ma seizième année.

Quelque chose de cette transformation paraissait-il aux yeux de ma mère ? Je remarquai que son attitude envers moi n'était plus la même. Elle me parlait sur un ton que je ne lui connaissais pas, me demandait mon avis sur ceci et cela, écoutait mes réponses. Un jour, elle me déclara brusquement qu'elle avait des ennuis et que je devenais assez grand pour qu'elle me les confiât.

— Il faudra bien, dit-elle, que tu sois mis au courant un jour ou l'autre. Pourquoi pas maintenant ?

Et elle me conta l'histoire de Clément Jalon et comment cet homme, dont elle voulait bien croire qu'il nous était apparenté, s'y était pris pour s'installer chez nous.

« Figure-toi, expliqua-t-elle, qu'il se donne pour le cousin des Pascalis de Nantes. Cela ne te dit pas grand-chose parce que tu n'as jamais vu de Pascalis de ta vie, ni moi non plus, du reste, mais enfin ils sont alliés à la famille de ton père et je sais qu'il me parlait d'eux quelquefois. J'ai écrit aux Pascalis, voici deux ans, mais je n'ai jamais reçu de réponse. Ce n'est pas tellement extraordinaire. Jalon m'a dit un jour qu'ils avaient quitté Nantes pour s'établir en Espagne et qu'il les avait perdus de vue tout à fait.

— Tu n'avais jamais entendu parler de Jalon avant de le voir ici ?

— Si », répondit ma mère. Elle réfléchit un instant et ajouta : « Je crois.

J'étais sur le point de lui demander comment elle avait pu recevoir Jalon chez elle sans être sûre qu'il n'était pas un imposteur, mais elle parut deviner les paroles que j'allais prononcer et reprit aussitôt :

« Que pouvais-je faire ? Je n'ai pas l'habitude de repousser les malheureux, moi. Il m'a dit qu'il avait eu des revers de fortune et qu'il avait été l'ami de ton père dans sa jeunesse. C'était plus qu'il n'en fallait pour m'attendrir.

— Et si Jalon t'avait menti ?

Elle haussa les épaules.

— Crois-tu que je ne me suis pas posé toutes ces questions ? Je me dis que, s'il peut m'avoir menti, il est également possible qu'il ait dit vrai. Après tout, pourquoi n'aurait-il pas été l'ami de ton père ? Plus j'y pense, plus il me semble que ton père m'a parlé de lui.

Elle soupira.

« Enfin, tant pis, dit-elle après un instant de silence. Il est là et je ne suis pas femme à mettre un gros homme comme lui dehors. Et puis tu ne sais pas. Chaque fois que je lui fais des remontrances, il trouve le moyen de me parler de ton père, et cela me fait pleurer. En définitive, c'est toujours lui qui l'emporte.

— Des remontrances, maman? Je ne t'ai jamais entendu faire des remontrances à Jalon.

— Mon petit, tu comprends que je ne lui parle pas devant toi. Jusqu'à ce moment, du moins, j'ai pensé que c'était inutile. Mais le jour n'est pas loin où tu pourras m'aider.

Ma curiosité fut moins forte que la crainte de me trouver, par le fait des paroles de ma mère, dans je ne sais quelle situation désagréable. Ce n'est peut-être pas un très beau sentiment. Toujours est-il que je gardai le silence et fuis les yeux de ma mère, afin de décourager ses confidences dans la mesure où cela était possible. Mais elle reprit en joignant les mains avec une sorte de solennité :

« Le jour n'est pas loin où mon fils pourra dire à Clément Jalon : “ Vos intimidations ne nous effraient plus. Vous allez quitter Ferrière. ”

Elle s'était levée pour prononcer ces derniers mots et me fixa des yeux. Cette malheureuse était encore plus faible et plus lâche que moi devant Jalon. Je devinai bien des choses en la voyant ainsi debout près de mon lit, le regard brillant de colère ; je compris que cette indignation qui envoyait le sang à ses joues, elle la contenait à merveille en présence de Jalon ; mais, comme il n'était pas là, elle donnait libre cours à sa rancune et laissait éclater d'un seul coup la haine qu'elle avait trop longtemps portée en elle.

« Vous allez quitter Ferrière, répéta-t-elle d'une voix plus forte, continuant à jouer le rôle qu'elle désirait me voir tenir et tendant le doigt vers moi comme si j'avais été Jalon. Vous avez assez longtemps abusé de la bonté de ma mère, de sa crédulité, de sa faiblesse. Cinq longues années, il vous a été permis de vivre ici à votre guise, ne songeant qu'à vos aises, à vos cigares, à vos repas, ne donnant jamais un centime de cet argent que vous promettiez sans cesse à ma mère, n'hésitant pas, au contraire, à lui soutirer de grosses sommes, que vous perdiez ensuite, disiez-vous, dans des spéculations malheureuses...

J'écoutais sans mot dire cet étrange discours. Il était si peu dans le caractère de ma mère de parler ainsi que, pris d'une honte soudaine, je n'osai la regarder et tins les yeux baissés pendant un moment. Sa fausse éloquence, ses mines, tout cet excès de ridicule m'humiliait cruellement. En portant les mains à mon visage, je sentis que ma chair était brûlante. Deux mortelles minutes passèrent. Comme beaucoup de personnes sans force pour diriger leur volonté, ma mère continuait à parler parce qu'elle ne savait plus à quel point il convenait de se taire, ou, le sachant peut-être, elle n'était plus la maîtresse de sa langue.

« Vous êtes indigne, monsieur, poursuivit-elle. Vous devriez comprendre à quel point il est déshonorant pour un homme d'arracher de l'argent à une femme qui n'a plus son mari et ne peut compter sur l'appui de personne, une femme que vous terrorisez, qui n'ose pas même vous adresser la parole, tant elle a peur de votre violence, de vos façons brutales.

En ce moment, je ne voyais de ma mère que sa jupe de serge bleue et ses deux mains ridées qui s'agitaient devant mes yeux. Et c'est alors qu'elle eut un geste absurde, un geste qui résumait toute la misère de son âme, tout ce qu'il y avait en elle de timide et de puéril. Elle continuait à apostropher ce Clément Jalon imaginaire et s'écria :

« Maintenant, j'en ai assez. Vous aurez beau froncer le sourcil, enfler la voix, ce n'est plus à une femme que vous avez affaire, et vous ne m'effrayez pas. Vous allez partir de Ferrière tout de suite. Allez !

Mais pour donner plus d'autorité à cette injonction dont

elle sentait elle-même la faiblesse, elle écarta vivement les deux mains, ainsi qu'elle faisait autrefois, lorsqu'elle me trouvait sur son chemin et qu'elle m'ordonnait d'aller jouer. Je vis ce geste, ces mains qui semblaient vouloir chasser des moineaux. J'éclatai d'un rire nerveux que je ne pus réprimer et qui me courba en deux sur mon lit.

Il y a quelque chose de terrible dans le fait que nous ne pouvons changer rien à ce qui est accompli. Tant qu'un geste est dans l'avenir et, pour ainsi dire, devant nous, nous pouvons le faire ou ne pas le faire, mais il suffit que par l'injuste magie du temps il passe *derrière* nous, et que nous l'ayons accompli, pour qu'il soit désormais hors de toute atteinte. Une seconde plus tôt, il était aisé de tout empêcher peut-être ; à présent, la plus grande puissance sur terre est comme rien devant cette chose à tout jamais immuable. Si j'étais croyant, il me semble que je chercherais dans mon cœur une prière contre le temps. Je dirais à Dieu : « Seigneur, faites que cela ne soit pas arrivé, que je n'aie pas ri de la détresse de cette malheureuse. »

Et pourtant, j'avais ri si fort que ma mère s'était arrêtée de parler, et son silence, loin de mettre un terme à ma gaieté, n'avait d'autre résultat que d'exaspérer mon rire. J'entends encore cette espèce de hoquet que je ne parvenais pas à étouffer dans mes couvertures. Cela devenait si choquant et si pénible que je me demandai si une telle chose pouvait vraiment se produire et si je n'étais pas la proie d'un cauchemar, mais à chaque seconde le son de ma propre voix me donnait une nouvelle preuve de la vérité de cette scène. Tout à coup, ma mère se laissa tomber à genoux devant moi et, cachant son visage dans mes couvertures, elle se mit à pleurer. Aussitôt, mon rire cessa.

« Mon enfant, dit ma mère au bout d'un moment avec

une fermeté qui me surprit, tu ne te moquerais pas de moi si tu savais ce qui m'oblige à parler.

Elle essuya ses yeux et, se relevant, s'assit au pied de mon lit. Maintenant elle était plus calme.

« Je suis bien simple de compter sur toi, reprit-elle, tu es encore trop jeune. Et puis Jalon est plus fort que nous ne pourrons jamais espérer de l'être. Il a contre moi, contre nous des armes effrayantes dont il peut se servir n'importe quel jour. Je rechigne parce qu'il m'emprunte de l'argent qu'il ne me remboursera jamais, mais, s'il le voulait, il n'aurait qu'à exiger notre fortune entière pour qu'en une heure tout passât de mes mains dans les siennes. Comprends-tu, petit malheureux ? Ce lit dans lequel tu es couché, il pourrait t'en chasser si la fantaisie lui en prenait, et tu ne pourrais rien dire. J'étais folle de supposer que tu lui parlerais bravement. Nous ne sommes pas braves, mon enfant, ni toi, ni moi. Ensuite, cela ne servirait à rien de parler à cet homme. Sais-tu pourquoi ? Veux-tu savoir pourquoi ?

J'étais atterré et ne répondis rien.

« Eh bien, je m'en vais te le dire, poursuivit ma mère avec une tranquillité qui me glaça. Tu vas connaître un secret que j'avais pensé ne te confier que plus tard. Mais au point où j'en suis, je ne souffrirai pas d'humiliation plus grande que celles que j'ai déjà souffertes. Il faut donc que tu saches que, dans la famille de ton père, il s'est passé quelque chose de si honteux que je ne trouve vraiment pas les mots pour te le dire.

Et en effet, elle s'arrêta et baissa les yeux comme pour se recueillir.

« C'est une longue histoire. En voici l'essentiel. Un de tes oncles, je ne te dirai pas lequel, avait besoin d'une somme considérable pour mettre une affaire sur pied. Cela se passait près de six ans avant ta naissance, mon enfant, et il n'y avait pas deux ans que ton père et moi nous étions mariés. A cette époque, ton père faisait restaurer Ferrière qui en avait grand besoin, car ton grand-père ne s'était jamais soucié du mauvais état des boiseries et de la toiture, et je t'ai souvent raconté que, le lendemain de mon mariage, j'ai failli me casser une jambe dans le grenier où la pluie avait pourri le plancher.

Nouveau silence.

« Ainsi donc, reprit-elle, presque tout l'argent dont nous disposions alors était affecté aux travaux de réparation. Cela, je te le jure. Si jamais tu entends affirmer le contraire, tu penseras que ta mère a juré qu'il en était comme elle vient de te le dire. Ton oncle vivait à Paris. Il est venu ici nous demander de lui prêter dix-sept mille francs. Mon enfant, c'était beaucoup, c'était énorme pour ton père qui n'avait pas encore la situation que son travail lui a value plus tard, et il a refusé. D'autant plus qu'il venait d'apprendre que cette affaire dont lui parlait son frère n'était qu'un prétexte à trouver de l'argent et qu'aucune disposition sérieuse n'avait été prise en vue de la mener à bien. Mais ton oncle était un homme de plaisir et ce n'est pas de ces gens-là qu'il faut attendre un mouvement de conscience. Le misérable dévora sa colère comme il put et pendant quelques mois il ne fut plus question de cette histoire, quand, un jour de juillet 1888, nous apprîmes que ton oncle avait disparu. Le lendemain ton père reçut une lettre de M. Pascalis de Nantes. C'était un gros négociant, un parent éloigné de ton père, et plus qu'un parent, un bon, un très bon ami. Ce M. Pascalis nous informait donc qu'il avait remis à ton oncle la somme convenue et que, tout en n'étant pas extrêmement pressé, il serait heureux s'il pouvait être remboursé dans les six mois qui allaient suivre. Imagine ce que nous avons pu penser en lisant cette lettre. Ton père a écrit aussitôt à

M. Pascalis pour obtenir des explications. M. Pascalis, très étonné, lui répond qu'il a en main la lettre que ton père lui a écrite deux semaines plus tôt et dans laquelle il lui demandait de donner à ton oncle une somme qui serait remboursée dans le plus court délai par ton père lui-même. Stupéfaction. Ton père écrit de nouveau et sur-le-champ à M. Pascalis pour le prier de lui communiquer cette lettre qui ne peut être qu'un faux. M. Pascalis s'y refuse et dit qu'il garde cette lettre, ainsi que plusieurs autres, comme la seule garantie dont il dispose à présent. Ce manque de confiance agit sur ton père comme un coup de fouet en plein visage. Le voilà qui fait sa valise et se rend à Nantes pour y secouer son Pascalis. Les choses se gâtent. M. Pascalis se met dans une colère épouvantable et montre à ton père la lettre supposée. Ton pauvre père a cru s'évanouir en examinant ce chef-d'œuvre de fourberie. Il eût juré que c'était là son écriture si le contenu extravagant de la lettre ne l'eût assuré du contraire. La rage lui fait perdre la tête ; il s'écrie qu'il ne paiera rien et que ce n'est pas sa faute si les imbéciles se laissent prendre au piège avec une telle facilité. M. Pascalis lui répond qu'il paiera jusqu'au dernier centime, à moins qu'il ne veuille que l'affaire s'ébruite et qu'on dise partout que lui et son frère sont deux fiers coquins qui avaient partie liée pour gruger la famille la plus considérée de Nantes. Enfin ces deux hommes, furieux d'avoir été bernés ainsi, se lancent à la tête des insultes terribles et se quittent sur des menaces. Ton père court à la gare pour reprendre le premier train qui le ramènera chez lui. Sur le quai il a une lueur de raison : il laisse là son train, revient sur ses pas et se précipite chez son ennemi. Mieux vaut négocier avant que l'irréparable s'accomplisse. Combien devra-t-il donner pour ravoir cette lettre ? Pascalis lui répond qu'elle est à lui au prix de la somme remise à son frère. Ce Pascalis est un homme sans pitié, dès qu'il s'agit d'argent. Il aurait été joyeusement jusqu'au bout de sa vengeance ; aucune considération n'aurait pu l'arrêter. Ton père ne le savait que trop. Séance tenante, il lui signe un chèque en échange de quoi Pascalis abandonne la lettre. Ton père a donné trente-cinq mille francs pour avoir ce papier, car tu devines bien que ton oncle ne s'était pas gêné et il avait demandé ce qu'il avait voulu. Ton père a rapporté ce papier à Ferrière, mais je n'ai pas pu le lire. Nous l'avons brûlé en sanglotant comme deux enfants.

Ma mère se moucha et reprit :

« Ton père a mis six ans à retrouver cette somme. Tu es trop jeune pour comprendre ce que cela représente de privations et, pourtant, là n'était pas le plus ennuyeux. Ton oncle était aussi rusé qu'il était méchant. Il avait préparé son coup avec tout le soin imaginable. Pour éviter que Pascalis conçût le moindre soupçon, il ne formula sa demande qu'après lui avoir envoyé deux ou trois lettres dans lesquelles il le mettait au courant de cette affaire dont je t'ai parlé, affaire qui ne reposait sur rien, comme tu sais. Les réponses de Pascalis, adressées à Ferrière, bien entendu, étaient interceptées par un domestique que ton oncle avait acheté et j'ai appris que ton oncle venait secrètement à Fontaines, d'où part notre courrier, et que c'est de là qu'il envoyait ses maudites lettres. Enfin, lorsque Pascalis a reçu la dernière lettre, celle que ton père a payée si cher, il n'a pas été autrement surpris. Il a attendu ton oncle dont la visite lui était annoncée, il lui a remis l'argent, ils ont déjeuné ensemble, et ton oncle a disparu. Je te laisse à penser l'habileté avec laquelle ce misérable avait contrefait non seulement l'écriture, mais la façon de s'exprimer de ton père. Un expert seul eût pu reconnaître le faux. Mais ce qui me fait frémir, ce qui a empoisonné la vie de ton père jusqu'au jour de sa mort, mon enfant, c'est l'existence de ces autres lettres que dans son trouble il n'a pas songé à racheter avec la dernière. Pense donc qu'il ne les a même pas vues. Il était si pressé d'avoir la plus importante ! Celle-ci nous a permis d'imaginer ce que contenaient les autres, mais sait-on ce que ton oncle avait pu inventer ? Bien entendu, ton père a remué ciél et terre pour mettre la main sur toute cette correspondance. Il est retourné à Nantes. Il a supplié Pascalis de lui donner les lettres. Pascalis lui répond qu'elles sont perdues, sans doute détruites, qu'il ne sait ce qu'il en a fait. Ton père lui offre de l'argent. Pascalis lui demande s'il le prend pour un maître chanteur et le met à la porte. Quelle croix, quel purgatoire pour ton malheureux père que toute cette histoire ! Il en est mort, mon enfant. Dans le délire de son agonie, il suppliait Pascalis. J'ai dû éloigner les domestiques, fermer les portes et les fenêtres. Il aurait tout raconté.

Elle se tut un instant.

— Et mon oncle ? demandai-je.

— Ton oncle ? On nous a dit qu'il était allé s'établir en Amérique centrale, mais je n'en crois rien. Je crois qu'il est tout bonnement en France, sous un autre nom, et qu'il n'est jamais parti. Il savait bien comment tournerait cette affaire. Il n'avait rien à craindre. Naturellement, on n'a pas manqué de dire que ton père l'avait forcé à s'expatrier en lui refusant de l'argent. Et il fallait se taire, ne rien faire pour se disculper. Nous ne pouvions déshonorer notre nom pour justifier notre conduite, n'est-ce pas ? Nous n'avons même pas osé renvoyer le domestique soudoyé par ton oncle, il est mort ici. Quant à Jalon, je ne sais ce que c'est. J'ai appris que les Pascalis avaient passé la frontière, voici quatre ans. Jalon se dit leur parent. C'est possible, après tout, et par conséquent il est également possible qu'il soit au courant de toute l'histoire que je viens de te raconter. Sais-tu quels ont été ses premiers mots en me voyant ? « Madame, je suis le cousin de Bernard Pascalis, de Nantes. » Il n'a pas dit : « Je m'appelle Clément Jalon. » Non. Il a dit : « Madame, je suis le cousin de Bernard Pascalis, de Nantes. » J'ai cru mourir de saisissement en entendant cela. Qui sait s'il n'a pas dans ses papiers les lettres de ton oncle ? Et comment veux-tu que je refuse quoi que ce soit à un homme qui peut, s'il lui plaît, nous faire montrer au doigt comme des voleurs ?

— Tu n'es pas certaine qu'il a ces lettres.

— Mon enfant, il suffit que je le croie possible pour me tenir éveillée la nuit. Voilà des années que je ne sais plus ce que c'est que dormir cinq heures de suite. Chaque fois que Jalon m'adresse la parole, je tremble. Tu n'as pas remarqué ?

— Maman, qu'as-tu fait pour t'assurer qu'il a ou qu'il n'a pas ces lettres ?

— Un jour qu'il n'était pas là, répondit-elle lentement, j'ai fouillé dans sa commode avec un passe-partout. Je n'ai rien trouvé.

— Et dans ses poches ?

Ma mère me regarda avant de me répondre.

— Dans les poches de Jalon ? Comment veux-tu que je fouille dans ses poches ? dit-elle avec une volubilité soudaine.

— Mais la nuit, quand il dort. Il dort si profondément.

— Eh bien, dit ma mère avec effort, j'ai aussi fait cela. Il y a trois ans, j'ai pénétré dans sa chambre vers deux heures du matin. C'était en hiver. Comment ne suis-je pas morte de peur ? Imagine les mois et les mois d'angoisse que j'ai dû traverser avant d'en arriver à cette résolution. Moi, me glisser dans la chambre de Jalon comme une voleuse ! Il y avait un an que j'avais fixé le jour où j'accomplirais mon dessein. Les semaines passaient. A mesure qu'approchait le jour, il me semblait que je devenais folle. Je ne pouvais plus manger, ni boire. Tu ne te souviens pas qu'une fois tu m'as trouvée en larmes ? C'était ce jour-là, mon enfant. Tu me diras qu'il était simple de remettre l'exécution de mon projet à plus tard, si je me sentais si peu de courage. J'en ai bien été tentée une fois ou deux, mais comment t'expliquer ? Le courage me manquait pour reculer la date. Je sentais que j'étais à bout et qu'il me restait juste assez de force pour agir maintenant ou jamais. Et puis, quand on a attendu aussi longtemps, on n'a plus qu'une idée en tête, c'est d'en finir.

« Cette nuit-là, je feignis de me coucher plus tôt que de coutume, prétextant un mal de tête. Mais, lorsque Jalon fut monté à sa chambre, je redescendis à la salle à manger et bus un peu de cognac. Tu sais pourtant combien je déteste l'alcool, mais il fallait bien quelque chose pour me stimuler. Je restai deux heures auprès du feu, jusqu'à ce qu'il fût complètement éteint. Il pouvait être minuit et demi. Je bus encore un peu. La tête me tournait. J'allai ensuite m'asseoir dans l'escalier, tout près de la chambre de cet homme. Il ronflait, je l'entendais bien. Le cognac m'avait donné mal à la tête. Je me dis : “ Je suis grise, il faut que j'attende un peu que cela passe. ” C'était comme si j'allais commettre un crime, un assassinat, mon enfant. J'attendis encore. Au bout d'une heure, je me levai, je montai les cinq ou six marches qui me séparaient de la porte de Jalon, et j'ouvris cette porte. Cela me prit en tout un grand quart d'heure. Bien entendu, je n'avais pas de lumière. Je m'étais mise à quatre pattes et j'allais sans bruit, à tâtons. Dans l'ombre, je ne reconnaissais la place d'aucun meuble, et puis, ne trouvant pas la chaise sur laquelle Jalon avait placé sa veste, je commis l'erreur de revenir en arrière. T'es-tu jamais promené dans une pièce sans lumière ? Il suffit de changer une fois de direction pour ne plus savoir où l'on est. Bref, en quelques minutes, j'étais tout à fait perdue. Je ne pouvais plus m'imaginer où était la porte. La nuit était noire. Impossible de distinguer la fenêtre. Evidemment, j'aurais dû choisir une nuit de pleine lune, mais je n'ai pas songé à tout cela, je ne suis pas un cambrioleur. Je m'étendis sur le tapis et me reposai un instant, car l'émotion me rompait les membres et mon cœur battait si fort que je me demandai si je n'allais pas défaillir. Je réfléchis que je ferais mieux de me lever quand je serais un peu remise ; peut-être retrouverais-je ainsi plus facilement mon chemin. Au bout de quelques minutes, je me levai donc et fis deux ou trois pas devant moi. Jalon, en ronflant, me renseignait sur la position de son lit et je calculai à peu près celle de la chaise que je cherchais. Deux fois je me trompai. La première fois, je butai dans un fauteuil. Je compris alors que j'étais du mauvais côté du lit et qu'il fallait en faire le tour. Heureusement je n'avais pas réveillé Jalon. Je me rendis donc de l'autre côté du lit avec toutes les précautions que tu peux imaginer. Arrivée là, j'étends la main. Le bout de mes doigts rencontre une étoffe que ma main tout entière saisit avec bonheur. Eh bien, ce n'était pas, comme je le croyais, la veste de Jalon. Mon enfant, c'était la couverture de son lit. Je lâchai prise et ne pus m'empêcher de pousser un soupir de terreur, car je crois bien que j'avais touché son pied. A cet instant, Jalon s'éveilla. Te rends-tu compte de ce que j'ai pu souffrir pendant la minute qui suivit ? J'entendis cet homme qui se tournait et se retournait dans son lit ; puis sa main déplaça plusieurs objets sur la table de nuit, comme si elle cherchait quelque chose. Je compris plus tard de quoi il s'agissait, mais au moment même je ne pensais à rien, tant j'avais peur. Il y eut un long silence. Je contenais mon souffle et ne remuais pas.

De son côté, Jalon demeurait immobile, c'était à peine si je percevais le bruit de sa respiration. Il devait attendre, lui aussi. Enfin, au bout de quelques minutes, je l'entendis ronfler de nouveau. Je laissai passer du temps, tout en allongeant les mains de droite et de gauche, non pour trouver la chaise, je ne songeais plus à cela, mais afin de m'assurer un peu du chemin que j'allais prendre pour regagner la porte, quand, dans les mouvements que je faisais ainsi, mes doigts se posèrent sur cette chaise et ce vêtement que je ne cherchais plus. Il me sembla que c'était le dos et les épaules de Jalon que je touchais, mon enfant. Miséricorde, par quelles angoisses les pauvres voleurs doivent passer ! Enfin, je retrouvai un peu de courage et j'aventurai mes mains dans les poches de la veste, puisque j'étais là. Dans l'une je trouvai un lorgnon, dans l'autre un canif, un crayon, des cure-dents ; dans une autre encore, une blague à tabac et une pipe, mais pas de trace de portefeuille, ni dans les poches intérieures, ni dans les autres. Cela m'irrita. Je mis un genou en terre pour recommencer mon inspection. C'était trop bête de s'être donné tant de mal pour ne rien trouver.

Ma mère s'interrompit. Je la vis s'essuyer les yeux.

— As-tu finalement trouvé quelque chose ? demandai-je avec impatience.

Elle haussa les épaules.

— Sais-tu ce qui est arrivé ? reprit-elle. Eh bien, j'étais là, en train de fouiller les poches de cette veste, quand tout à coup, les ronflements cessent et j'entends le bruit d'une allumette qu'on frotte doucement contre sa boîte. Je me retourne vers le lit et je vois Jalon qui me regarde. L'effroi m'enlève la force de crier. Lui-même garde un profond silence. Pourtant, il m'a vue fouiller dans ses poches, c'est sûr, mais il ne dit rien. Tu ne peux pas savoir combien il m'a semblé terrible à ce moment. Je ne voyais que son visage dans l'ombre. Ses yeux étaient immobiles ; il avait l'air très calme. Au bout de quelques secondes, il a baissé les yeux vers l'allumette et il a vu qu'elle allait lui brûler les doigts. Alors il m'a regardée une dernière fois, bien en face, et il a soufflé l'allumette, mais auparavant et presque en même temps, il a cligné de l'œil. Je ne sais comment je suis sortie de cette chambre. L'instinct m'a fait retrouver mon chemin, sans doute. J'ai couru à ma chambre comme une folle, je me suis jetée sur mon lit et j'ai pleuré jusqu'à l'aube.

Elle ajouta :

« Il avait fait semblant de dormir pour me surprendre, vois-tu. Ce qu'il cherchait sur la table de nuit, c'étaient les allumettes.

Et elle se tut. De longues minutes passèrent sans que, l'un et l'autre, nous eussions envie de parler. Ma mère était tout entière à ses réflexions et moi j'étais ému de voir que cette femme si timide avait su, pour ainsi dire, inventer le courage qui lui manquait et vaincre une frayeur sous laquelle j'eusse vingt fois succombé. J'en eus les larmes aux yeux un instant, puis tout d'un coup je dis à ma mère :

— Lorsque je serai rétabli, j'essaierai à mon tour.

Elle m'entoura de ses bras et dit vivement :

— Mon petit, je ne veux pas. Tu peux être sûr que, si Jalon est vraiment en possession de ces lettres, il aura deviné que c'est à elles que j'en voulais. Ce n'était pas son argent que j'allais lui prendre, n'est-ce pas ? Son argent ? Il n'a pas un centime en poche qu'il ne tienne de moi. Du reste, il ne m'a jamais demandé d'explications, ni à ce moment, ni plus tard. Preuve qu'il a parfaitement compris.

— Il n'a jamais fait allusion à ce qui s'était passé cette nuit-là ?

— Pas un mot, et c'est bien pire que s'il me menaçait ouvertement, je t'assure. Tu es trop jeune pour comprendre à quel point cet homme est profond. Si je n'étais certaine d'avoir pénétré dans sa chambre, je pourrais croire que je l'ai rêvé, car l'attitude de Jalon n'a jamais varié de ce qu'elle était avant cet événement. C'est là sa force. Lorsqu'il a besoin d'argent, il a l'impudence de me parler de ton père. Est-ce parce qu'il croit que cela me fait peur, ou que cela m'attendrit ? Dans ces moments-là il est aimable avec moi, il me parle gentiment, mais ses yeux me content une tout autre histoire. C'est comme s'ils me disaient, en me regardant : « Souviens-toi de la minute où nous t'avons vue à genoux, à la lumière de cette allumette qui brûlait si lentement. »

— Tu t'imagines cela, maman, lui dis-je pour me rassurer.

— Pas du tout, fit-elle avec véhémence. Je te disais tout à l'heure qu'un jour viendrait où tu pourrais mettre cet homme à la porte, mais ce n'est pas vrai et ce jour ne viendra jamais. Jalon vivra ici comme chez lui, jusqu'à la fin de ses jours.

Et elle se remit à pleurer.

— Maman, lui dis-je après un instant, il vaudrait mieux lui parler, lui offrir une somme pour ces lettres, tout bonnement, et en finir avec ce cauchemar.

Ma mère s'arrêta de pleurer et me considéra.

— Et s'il ne les a pas, ces lettres ? s'il n'en a jamais entendu parler ? Je le mettrais au courant, n'est-ce pas ? Je lui dirais : « Comment ? vous n'avez pas entendu parler de la façon dont on a voulu escroquer votre cousin Pascalis ? On lui a tiré trente-cinq mille francs avec un faux, et si mon mari n'avait pas été si honnête, ce benêt de Pascalis en serait encore à les chercher, ses trente-cinq mille francs. » Mon pauvre enfant !

— Je suis sûr, lui dis-je encore, qu'il y a une loi contre ce genre de chantage.

— Une loi, une loi, dit ma mère excédée, prends-tu Jalon pour un imbécile ? Sais-tu bien qu'il n'a jamais écrit le moindre mot, prononcé la moindre parole de menace ? Nous n'avons le témoignage de personne, la preuve de rien, entends-tu ?

Je sentis la colère s'emparer brusquement de moi à la pensée de notre impuissance.

« C'est bien, pensais-je. Un jour, je le tuerai. »

Les eaux profondes coulent sans bruit. Le dessein que j'avais conçu se développait en moi peu à peu, tranquillement. Tuer cet homme, c'était ce qu'il y avait de plus simple à faire, étant donné la situation impossible dans laquelle il nous mettait. J'étais en effet trop jeune et trop naïf pour comprendre l'inanité des craintes qui torturaient ma mère. Aujourd'hui, avec le recul des années, elle m'apparaît comme une pauvre femme victime d'une imagination sans frein. Une nature plus ferme que la sienne se fût remise du coup qu'elle avait reçu, mais, dans l'esprit de ma mère, le souvenir des mauvais jours demeurait présent et créait des fantômes qu'elle ne parvenait pas à chasser. Pour un aventurier comme Jalon, c'était un jeu que de porter la terreur dans un cœur aussi timide. Nul besoin de parler de lettres, ni de proférer des menaces ; il lui suffisait de se montrer, de se nommer ; le cerveau affolé de ma mère faisait le reste. J'ignorais encore le moyen que j'emploierais pour me débarrasser de lui. Je me proposai d'y réfléchir longuement.

Quelques jours après cette conversation avec ma mère, je me levai. Assurément, la maladie m'avait affaibli, mais, comme je l'ai déjà expliqué, je me sentais tout autre. Mon projet d'assassinat me vieillissait. Je voyais clair en moi-même, je savais qu'au moment où l'idée m'était venue de tuer Clément Jalon je n'avais pas eu peur. Mon cœur battait, sans doute, mais c'était de colère ; il ne s'était pas serré ; au contraire, il se dilatait comme dans la joie, et il y avait quelque chose de généreux et de mâle dans les grands coups dont il ébranlait ma poitrine.

Jalon était absent de Ferrière quand, pour la première fois depuis des mois, je me promenai sous les arbres, devant la maison. Assez souvent, du reste, il faisait de petits voyages en chemin de fer et, sans qu'il nous mît dans la confidence de ses occupations, nous comprenions, ma mère et moi, qu'il allait à Provins, à Soissons, parfois aussi jusqu'à Paris. Quelles affaires l'attiraient dans ces villes ? Jalon n'était pas homme à répondre à nos questions, mais il lui arrivait de pousser la condescendance jusqu'à nous dire, entre deux bouffées d'un cigare acheté avec notre argent : « Beau temps, à Paris. » Ou : « Belle ville, Soissons. » Ou encore : « Sale ville, Provins. » Et c'est ainsi que nous savions où il passait son temps lorsqu'il n'était pas chez nous.

Je me promenais donc sous les arbres, devant la maison, par une matinée de mars. Ma mère, me voyant guéri et n'ayant plus rien à me dire depuis qu'elle m'avait confié ses principaux ennuis, ma mère se désintéressait de moi et trottait d'une pièce à l'autre de la maison, un chiffon à la main.

Il faisait beau. Les branches étaient encore nues, mais l'herbe était d'une couleur éclatante et je respirai longuement l'odeur de la terre. Un sentiment de bien-être me donnait envie de rire, de parler tout seul. Ce matin-là, j'avais de moi-même une impression curieuse : il me semblait que tout à coup je me trouvais à la tête d'une puissante fortune. J'étais riche de choses nouvelles, de secrets, d'un avenir plein de violence où je ne me reconnaissais pas. Cela me grisait. En pensant à tout ce que j'avais devant moi d'inconnu, je fermai les yeux comme sous l'empire d'un vin trop fort.

Un instant plus tard, je vis Odile qui venait vers moi. Pas une fois elle ne m'avait rendu visite pendant ma maladie. Pourtant elle me dit bonjour, comme si nous nous étions parlé la veille.

— Veux-tu m'aider à ratisser la grande allée ? me demanda-t-elle. Nous partirons chacun d'un côté et nous irons l'un vers l'autre. Je te donnerai un râteau.

Je pris un air sombre et ne répondis pas. Il me déplaisait qu'elle ne trouvât pas autre chose à me dire.

« Qu'est-ce que tu as ? fit-elle. Pourquoi ne me réponds-tu pas ?

— On ne dirait pas que nous ne nous sommes pas vus depuis quatre mois, répliquai-je. Est-ce que la maladie m'a changé ?

— Oui, répondit-elle posément. Tu es plus maigre et c'est peut-être pour cela que tu parais plus grand. Tu es pâle. Tes yeux ne sont plus les mêmes.

Il y eut un silence. Je regardai Odile fixement. Si j'avais changé, elle était toujours telle que je l'avais connue. Assurément elle était jolie, très jolie. Ses beaux yeux tranquilles et pensifs eussent enchanté tout autre que moi, mais ce jour-là il me semblait qu'elle faisait partie de mon enfance, de toutes les années révolues à jamais, qu'elle ne tiendrait aucune place dans l'avenir que j'aimais tant à me représenter et qui me causait une émotion si forte. Il était déjà assez étrange, pensai-je, qu'elle fût là, devant moi, dans le présent, dans *mon* présent. Se pouvait-il que je me fusse mis en colère autrefois, parce qu'elle parlait à Jalon ? J'avais peine à le concevoir.

Elle soutint mon regard et demanda au bout d'un

instant, avec la douceur et l'obstination que je connaissais bien :

« Eh bien, m'aideras-tu à ratisser la grande allée ?

Je haussai les épaules.

— Non, Odile, je ne t'aiderai pas.

— Bien, dit-elle. Sais-tu que je vais quitter Ferrière ?

— Mais non, je ne le savais pas.

— Ta mère ne t'a pas dit ? Je vais être mise en pension chez des dames de Soissons. L'autre jour, M. Jalon m'a interrogée pour voir où j'en étais, et ta mère qui était là s'est aperçue que je ne savais rien. Elle a dit que Mademoiselle ne suffisait plus.

Mademoiselle était l'institutrice qui venait à Ferrière trois fois par semaine et nous donnait des leçons, à Odile et à moi. Je ne pus réprimer un sourire de joie, ni cette question naïve :

— Mademoiselle s'en va ? Alors qu'est-ce qu'on va faire de moi ?

— On t'enverra au collège, à Paris.

— Qui t'a dit cela ?

— Tu verras bien si je me trompe, fit Odile. Maintenant je vais te donner un râteau. Tu ratisseras dans un sens et moi dans l'autre. Viens.

Elle voulut me prendre par la main, mais je me dégageai vivement. Il s'agissait bien de ratisser, en effet ! Et laissant là cette petite fille et son jardinage, je courus derrière la maison et m'assis sur un banc, seul, afin de réfléchir à cette nouvelle, de même que l'on se retire à l'écart pour examiner un trésor. Aux yeux du petit provincial que j'étais, un voyage à Paris, c'était quelque chose d'aussi merveilleux que le tour du monde et je crois que si j'ai jamais parlé, chanté tout seul, c'est bien ce jour-là et à cette minute.

En passant devant la maison, un instant plus tard, pour

aller trouver ma mère, je vis de loin Odile qui ratissait l'allée. Elle tenait son râteau, trop lourd pour ses mains, avec une maladresse qui m'aurait donné des remords si j'avais été moins pressé. Ses longs cheveux lui tombaient de chaque côté du visage, car elle baissait la tête d'un air de grande application. Cela me fit penser au temps lointain déjà où nous regardions ensemble les dessins étranges dont s'ornait le tapis du salon, alors que j'admirais le silence d'Odile et cette tête pensive aux cheveux épandus qui balayaient, dans le paysage de laine, des arbres mystérieux où se cachaient des hommes.

Il entrait, en effet, dans les projets de ma mère de m'envoyer à Paris, mais, comme je n'allais pas encore tout à fait bien et que d'autre part l'on n'était plus qu'à trois mois et demi des grandes vacances, elle décida que je ne serais mis au collège que l'année prochaine. Quelle déception ! Toutefois, Odile fut envoyée à Soissons quelques jours plus tard.

Je passerai rapidement sur les deux semaines qui suivirent. Qu'il suffise de savoir que ma mère, cédant à mes supplications, remercia Mademoiselle et s'en remit naïvement à moi du soin de faire mes devoirs tout seul. Clément Jalon revint à Ferrière le lendemain du jour où Odile en était partie, et la vie reprit chez nous son train accoutumé.

Magie des apparences qui me fait parler du train accoutumé de notre vie, alors que le fond même en était changé à jamais ! Etais-je donc la dupe de cette observance de nos habitudes ? Ne savais-je pas qu'au milieu de tant de choses coutumières j'apportais un cœur nouveau ? Distrait, en effet, quelques heures par la déception que j'avais eue de ne pouvoir quitter Ferrière, je me retrouvai bientôt tel que j'étais avant qu'Odile m'eût annoncé son départ. Quitter Ferrière alors que j'avais mon crime à commettre !

Sans doute, ma mère et Clément Jalon continuaient à vivre comme par le passé, à s'asseoir à table aux mêmes heures, mais à présent c'était un assassin qui prenait place entre eux, alors qu'ils croyaient peut-être que ce n'était qu'un enfant sans malice. Ce calme, ces dehors m'étonnaient. J'avais pris une résolution terrible ; comment n'en paraissait-il rien ? Je n'étais peut-être pas encore à la hauteur de ma tâche. Cependant, cet homme assis à ma droite voyait mes mains se servir de mon couteau et de ma fourchette, porter mon verre à mes lèvres, et ces mêmes mains, si frêles à côté des siennes, devaient un jour le mettre à mort. Ne le soupçonnait-il pas ? Est-ce qu'il n'y avait pas quelque chose qui dût l'avertir ? Le crime existe à partir de l'instant où l'idée s'en présente à l'esprit du criminel. Aux yeux d'un juge absolu, a-t-il besoin d'être consommé ? Or, on ne cache pas un crime à deux personnes que l'on voit presque à toute heure du jour. Sûrement il doit finir par se trahir dans une parole, un regard.

Il me semblait qu'un être invisible s'était glissé dans la maison depuis que j'avais conçu le projet de tuer Jalon ; et pour mieux échapper à la curiosité, cet être avait choisi de se dissimuler en moi, de s'approprier ma voix, mes gestes. Lorsque je prenais mon couteau pour découper ma viande, c'était lui qui faisait trembler le manche d'argent entre mes doigts. Lorsque mes yeux se levaient sur Jalon, tout à coup, et que celui-ci me disait : « Mais qu'as-tu donc ? » c'était l'autre qui regardait à ma place et je ne baissais la tête qu'à l'instant où il avait vu ce qu'il voulait voir.

Je ne peux dire qu'on m'ait fait violence, je pense même

que la pensée de tuer un homme ne se serait pas installée dans mon cœur et ma tête si je lui avais offert la moindre résistance. Bien qu'elle fût venue à moi brusquement, il m'eût été aisé de la repousser, mais je ne le voulais pas, parce qu'elle me tentait et qu'elle me paraissait belle. J'aurais couru au-devant d'elle si elle n'était venue à moi.

Le calme qui succéda en moi me trompa sur l'importance de ce qui s'était passé. Puis le départ d'Odile dirigea quelque temps mon esprit dans une autre voie, mais, je l'ai dit, je me retrouvai par la suite tel que j'étais auparavant. En étais-je, toutefois, absolument au même point ? Certes non. Un lent travail s'était accompli. J'avais sans le savoir cédé bien du terrain, et, s'il est exact que j'étais le même que deux ou trois jours plus tôt, selon toute apparence, il est également véritable que je ne m'appartenais plus.

Le lecteur croira peut-être qu'en découvrant ce qu'il y avait d'insolite en moi je conçus un grand effroi de ce qui allait m'arriver. Mais non, mon nouvel état ne m'épouvantait pas. Tous les jours, je sentais ma volonté faiblir, absorbée, si l'on peut dire, par cette autre volonté qui croissait en moi avec lenteur. Tous les jours j'abandonnais un peu plus de place à cet être singulier qui m'avait déjà pris mon corps, ma voix, mes gestes, et qui voulait, de plus, mon cœur et mon cerveau. N'avais-je pas consenti à tout cela en acceptant de retenir en moi la pensée d'un crime ?

Cette pensée n'était pas comme les autres pensées que l'esprit accueille, puis écarte, s'il lui plaît ; c'était une pensée vivante qui se nourrissait de moi, de ma chair, et ne me quittait ni la nuit ni le jour, qui respirait, parlait, voyait ainsi qu'un être organisé comme nous. Je ne désirais plus rien que par elle, c'était elle qui dirigeait les opérations de mon cerveau, réglait les sentiments de mon cœur, et il ne restait de moi que ce qu'il fallait pour me rendre compte et me réjouir de cette sujétion parfaite où j'étais réduit. Comment en effet ne me serais-je pas réjoui d'être aussi merveilleusement guidé dans cette voie nouvelle où toute crainte s'évanouissait, où toute faiblesse était aussitôt secourue par une force vigilante ? J'avais voulu tuer mon ennemi ; je ne pouvais plus m'arrêter de le vouloir.

Avant de reprendre le fil de ce récit et le mener à sa fin, je veux exposer rapidement un autre point qui paraîtra plus étrange encore que ce qu'on vient de lire. A mesure que la résolution de tuer Clément Jalon s'affermissait en moi, la haine que j'éprouvais à l'égard de cet homme diminuait d'autant, jusqu'à ce qu'elle fût graduellement réduite à rien et qu'il ne restât plus en moi que le désir de tuer. Peut-être cela est-il plus simple qu'il ne semblerait à première vue, car mes griefs contre Jalon, ma rage de le voir assis à notre table, mon humiliation, mon impatience, toutes les parties constituantes de la haine que je portais à cet homme, cela ne dérivait-il pas de ce que j'avais été autrefois, de ce que je ressentais en voyant Jalon parler à Odile, de ce que ma mère m'avait appris sur lui pendant ma convalescence ? Mais depuis, je l'ai dit, cet être souffrant et lâche s'était peu à peu retiré pour laisser la place à la nouvelle personne que j'étais devenu, homme de violence assurément, mais qui ne tremblait pas et qui n'attendait pour tuer son ennemi que d'avoir trouvé le moyen le plus efficace et le moment le plus favorable.

J'étais d'ores et déjà un assassin ; je portais le crime dans mon cœur comme d'autres y portent l'amour. Ma mère, lorsqu'elle m'embrassait, embrassait un assassin. Jalon, lorsqu'il me parlait, parlait à son meurtrier. Voilà ce que je voulais dire tout à l'heure, quand j'écrivais que chez nous presque rien n'avait changé, en apparence, mais qu'en réalité tout était différent.

Je ne causerai pas de surprise en disant que j'avais avec

Clément Jalon des conversations fréquentes, que je sortais avec lui aussi souvent qu'il m'y invitait. Pourquoi pas ? Je n'avais rien contre lui. Loin de le fuir, au contraire, je recherchais sa compagnie, je m'intéressais à ce qu'il me disait, je faisais intérieurement cent réflexions sur son caractère. Le fait qu'il allait mourir, et mourir de mes mains, lui donnait à mes yeux un aspect tout autre que celui sous lequel je l'avais connu jusqu'alors. De pitié, nulle trace, mais de la curiosité, et un étrange plaisir à me trouver près de lui. Parfois même, j'étais si aimable avec Jalon que cela m'étonnait et je voyais que lui aussi en était surpris ; et dans le regard de ma mère, je croyais deviner alors une sorte d'interrogation pleine de reproches. Peut-être me trompais-je, après tout. Ma mère était si distraite et j'avais si nettement l'impression que, m'ayant raconté ses malheurs, elle les avait du même coup réduits à rien. Par une longue habitude de la crainte, elle avait un visage inquiet et une façon pénible de rentrer les épaules lorsque Jalon grossissait la voix, mais cela ne correspondait plus à grand-chose en elle : elle devenait trop vieille pour souffrir beaucoup et s'acheminait vers une indifférence à peu près complète comme vers un refuge.

Ai-je besoin de dire que je ne travaillais pas ? Il ne venait jamais à l'esprit de ma mère de me demander où en étaient mes études. Toute liberté de ce côté, par conséquent. Des journées entières passaient pendant lesquelles je jouissais d'un grand calme intérieur ; je me sentais en paix avec moi-même. D'autre part, ma santé se rétablissait, mes forces revenaient et s'accroissaient, me semblait-il, d'heure en heure, sensation dont les mots ne peuvent rendre tout ce qu'elle a de voluptueux. Ajoutez à cela les délices de la saison nouvelle, les oiseaux, le jeune feuillage, le ciel tiède, et ne vous étonnez pas si je parle de bonheur.

Je lisais volontiers ce qu'on est convenu d'appeler de bons livres ; la bibliothèque de mon père en était remplie, mais je serais bien empêché aujourd'hui de dire le plaisir que j'y trouvais. Peut-être répondaient-ils de quelque manière à cette tranquillité de cœur et d'esprit dont je viens de parler, et puis il y avait en moi, malgré les pensées criminelles que je menais dans ma tête et qui ne me quittaient jamais, un grand désir d'être bon et de me sentir juste. Si ma mère me posait des questions sur la manière dont j'avais passé la journée, je lui répondais avec plus de détails qu'elle ne m'en demandait, m'efforçant toujours vers plus d'exactitude, prenant plaisir à rendre hommage à la vérité en de petites choses, alors que je m'enfonçais d'autre part dans un grand et profond mensonge. Etait-ce là le fait de ma conscience en lutte avec moi-même ? Je laisse ces difficultés à d'autres, mais je sais que, si le démon existe, il devait bien rire des revanches insignifiantes que le bien remportait ainsi sur le mal.

A ces périodes de calme succédaient des périodes d'activité, mais d'une activité sans exaltation et qui consistait simplement à méditer le problème que j'avais à résoudre, c'est-à-dire à trouver le meilleur moyen de me défaire de Jalon. Dans ces moments je ne pouvais pas lire et je n'agissais pas autrement que sur l'ordre d'une sorte de voix intérieure qui ne manquait jamais de me dire ce que j'avais à faire. Si par exemple Jalon me demandait de sortir avec lui, la voix me disait : « Accepte » ou, moins souvent : « Refuse » avant même qu'il eût fini sa phrase. J'obéissais joyeusement.

Un jour, il me fut signifié que j'aurais à commettre mon crime dans la nuit qui allait suivre et qu'à cet effet je devais me munir d'un bon couteau que je déroberais dans la cuisine, pendant que la cuisinière serait au potager. Je m'acquittai de ce larcin et passai une partie de l'après-midi à polir le couteau et à l'aiguiser, derrière la maison. Lorsque je l'eus rendu aussi net, pointu et tranchant qu'il était possible, je l'enveloppai dans deux ou trois mouchoirs et le serrai dans le tiroir d'une commode qui se trouvait dans ma chambre. Après quoi j'attendis la fin de la journée et dînai comme à l'ordinaire entre ma mère et Clément Jalon. J'étais silencieux, mais il y avait en moi une tranquillité extraordinaire, délicieuse. Ma mère parlait peu. Jalon mangeait bruyamment et racontait une longue histoire sans intérêt. Je ne pus m'empêcher de me dire : « Voilà un homme qui mange, et avant même qu'il ait digéré cette viande et ces légumes, la vie aura quitté son corps. » Réflexion banale et vulgaire que m'imposait l'espèce de zèle avec lequel Jalon attaquait sa nourriture. Du reste, je ne pensais guère à Jalon, je ne pensais qu'à la manière dont je le tuerais, ce qui est bien différent. Si je le frappais au cœur, je risquais de donner mon coup trop haut ou trop bas ; le mieux était de lui faire une blessure à la gorge qui l'empêchât d'appeler à l'aide. Et puis j'avais une entière confiance dans l'inspiration du dernier moment. Je savais qu'à la seconde où je lèverais mon couteau sur cet homme l'esprit ne me manquerait pas et que je ferais bien mon travail.

Ce ne fut que lorsque je remontai dans ma chambre que j'eus subitement une défaillance. Je me demandai ce qui m'arriverait quand je serais pris, ce qui devait incontestablement se produire et, pendant une minute, j'eus peur et perdis la tête, mais cela dura peu, car je fis bientôt la réflexion que, n'ayant pas même dix-sept ans, mon très jeune âge me mettait à l'abri de la peine capitale et, la mort exceptée, aucun châtiment ne me paraissait en rapport avec la joie profonde et mystérieuse que me procurait mon dessein. J'entendis alors ma voix dans le silence de la nuit.

« Tu n'auras qu'à dire que c'est à cause de ces lettres que ton oncle a écrites à M. Pascalis. On les retrouvera dans le portefeuille de Jalon, sous son traversin.

— Oui, répondis-je à mi-voix.

— Tu auras agi pour mettre fin à une situation intolérable, à la grande détresse de ta mère.

— Oui », dis-je plus haut.

La voix s'arrêta un instant et reprit d'un ton impérieux :

« Tu diras que c'est ta mère qui t'y a poussé. »

Je me levai, en proie à une émotion violente, et m'écriai : « Oui » en frappant du pied.

Une demi-heure après, je descendis au premier étage, dont Jalon occupait la plus belle pièce, et me postai dans l'escalier, non loin de l'endroit où ma mère s'était tenue autrefois, lorsqu'elle écoutait le bruit que faisait son ennemi en respirant. Il pouvait être onze heures et je savais que Jalon se couchait à dix heures pour s'endormir presque aussitôt. De fait, la lumière était éteinte dans sa chambre. J'avais mon couteau à la main. Au lieu de monter, comme avait fait ma mère, il me fallait descendre encore quatre ou cinq marches pour atteindre la porte de Jalon. Aujourd'hui encore il m'est impossible de comprendre pourquoi je ne descendis pas du premier coup jusqu'à cette porte, ainsi qu'on me le commandait. Avais-je peur ? Je ne le crois pas, et si ma main tremblait, c'était d'impatience, mais je restais appuyé au mur, retenant mon souffle pour mieux entendre le souffle puissant du dormeur. Comme ce bruit m'attirait ! Avec volupté, j'en étudiais le rythme lent et profond, j'en emplissais mes oreilles, ma tête, comme d'une musique délicieuse. A force de l'écouter, il me semblait que ce n'était plus le souffle d'un homme, mais la respiration même des ténèbres. J'entendais en même temps le son bien connu de ma voix : « Voici le moment, disait-elle. Avance. Descends ces trois marches. Ouvre la porte et cours à son lit. Avance. Descends. »

Je ne bougeai pas. Mes membres ne m'obéissaient plus ; tout d'abord, je ne m'en aperçus pas, et ce ne fut que lorsque la voix se fit plus pressante et que j'essayai de mouvoir mes jambes que je me rendis compte de mon impuissance. De même, dans un rêve, nous tâchons de remuer un bras, une main et n'y parvenons pas. J'eus l'impression d'être emprisonné dans un corps de pierre.

A ce moment, il se passa une chose étrange ; la voix dont j'entendais les murmures et les cris depuis des semaines, cette voix cessa tout d'un coup. Je ne peux comparer cela qu'à une lumière qui s'éteindrait soudain.

Pendant quelques minutes, je fus la proie d'un vertige et brusquement la peur fut sur moi et me rendit l'usage de mes membres. Je remontai l'escalier aussi vite qu'il m'était possible, sans me soucier du bruit que je pouvais faire. Dans ma chambre, je me jetai sur mon lit, tout grelottant d'effroi. J'étais subitement ramené à deux mois en arrière et je me retrouvai tel que j'étais alors, avec toutes mes craintes, et l'épouvante d'avoir été sur le point de commettre un crime dont la seule pensée me confondait d'horreur.

Le lendemain, pourtant, j'étais fort calme et dans la même disposition d'esprit qu'avant mon échec de la nuit passée. Dès mon réveil, j'entendis ma voix qui me parlait : « Imbécile, disait-elle, pourquoi n'as-tu pas tué cet homme hier soir ? Le moment était bon. » Et elle ajouta sur un ton de grand mépris : « Tu as eu peur. »

« Je n'aurais pas eu peur, pensai-je, si tu m'avais parlé jusqu'au bout. »

La réponse ne vint pas tout de suite.

« Il faut t'habituer à marcher tout seul », dit enfin la voix.

Je me levai et m'habillai.

« Tu recommenceras ce soir, reprit la voix. Porte ton couteau dans ta poche aujourd'hui. »

Mon couteau. Qu'en avais-je fait ? Dans mon désarroi, je l'avais perdu.

« Dans le tiroir », fit la voix.

J'ouvris le tiroir. C'était vrai. Le couteau était là, soigneusement enveloppé dans deux mouchoirs. J'avais dû le ranger sans m'en apercevoir.

Je descendais, un peu plus tard, quand je croisai ma mère dans l'escalier. Elle portait deux draps et une taie d'oreiller sur le bras, et semblait pressée.

— Bonjour, maman.

— C'est toi, dit-elle comme si je l'avais brusquement tirée de son sommeil. Mon pauvre enfant, je serais passée à côté de toi sans t'embrasser. Tu ne sais pas ce qui arrive ? Ces dames de la Rédemption nous ont envoyé un télégramme, ce matin. Odile est tombée malade. Jalon est parti pour Soissons, voilà une demi-heure ; il va la ramener avec lui.

— Qu'est-ce qu'elle a ?

— Je n'en sais rien. Elle avait l'air si bien portante. C'était une bonne petite fille. Laisse-moi passer, il faut que j'aille préparer sa chambre.

Et elle disparut de son petit pas rapide et affolé. Je pris mon déjeuner seul, puis j'allai me promener sous les arbres. Juin commençait. La journée était belle, mais s'annonçait déjà trop chaude, bien qu'il ne fût que neuf heures. Parfois une brise s'élevait et remuait les hauts herbages ; alors la prairie qui s'étendait devant moi semblait respirer voluptueusement ce souffle qui passait sur elle, chargé d'un parfum de feuilles et de jeune terre.

Je n'étais pas heureux, ce matin-là. J'allai me cacher

dans le grand sapin noir où nous jouions, Odile et moi, lorsque nous étions enfants. Maintenant, quelle solitude sous ces branches ! Peut-être qu'à l'heure même Jalon était en train de parler à Odile. C'était cela qui me mécontentait. Il y avait de longues semaines que je n'avais éprouvé ce sentiment, mais, depuis la nuit passée, je retombais de temps à autre dans ma tristesse d'autrefois. Cela venait par accès. Quelquefois je réagissais ; plus souvent, je me laissais aller à cette faiblesse, exactement comme on s'abandonne au sommeil, après avoir lutté un peu.

Au bout d'un instant, j'allai m'étendre dans le pré. L'herbe était haute et me cacha tout entier ; le soleil ne l'avait pas encore chauffée jusqu'à ses racines et elle gardait au fond d'elle-même toute la fraîcheur de la rosée nocturne. Il me sembla que mon corps plongeait dans un bain. Très loin, du côté des bouleaux, le garçon de ferme allait d'un bout du pré à l'autre, assis sur sa faucheuse, et il chantait. Une grande heure s'écoula ainsi. Je me sentais plus heureux, plus léger, sans savoir pourquoi ; lorsque je fermais les yeux, j'avais l'impression étrange que la terre me poussait, me portait au hasard, ici et là, vers le ciel, à droite, à gauche. Je ne pesais plus rien. J'entendais le chant aller et venir d'un bout du pré à l'autre comme un être mystérieux qui se serait promené ainsi dans l'air.

Cependant, chaque fois que le faucheur disparaissait dans le creux du terrain, là où est l'auge de pierre, et que je ne l'entendais plus chanter, une vague inquiétude se saisissait de moi. Je me sentais seul, trop seul. Quelque chose passait tout près de moi, ainsi qu'un oiseau invisible qui eût volé à quelques mètres de mon visage. Et puis, ce bruit étrange, dans le silence, ce bruit qui ne ressemblait à aucun bruit qu'on entend sur terre et dont je n'aurais pu dire s'il résonnait dans ma tête ou dans la prairie, très loin ou très près. Cela montait, montait comme une voix.

Assurément c'était *ma* voix. Elle s'était tue pendant près d'une heure, ce matin ; lorsque j'étais sous le sapin, je ne l'avais pas entendue et le vide étrange que cela laissait en moi m'avait troublé. Mais voici qu'elle s'élevait de nouveau, combien changée pourtant ! Elle ne parlait pas ; on eût dit qu'elle chantait, qu'elle reprenait le refrain du faucheur, mais sur un ton plus aigu, plus uni. Et, brusquement, elle se mettait à frémir, puis à monter avec une rapidité horrible. Tout à coup, j'entendais un grand cri dans mes oreilles, dans mon cerveau, et, presque aussitôt, la voix du faucheur qui remontait la pente.

Cinq ou six foix j'entendis ce cri. Il trahissait chaque fois un désespoir plus grand, un désespoir immense, presque surhumain ; c'était quelque chose comme le cri d'un muet qui voudrait prononcer une parole. Je ne bougeais pas. Il me semblait que, tant que durait l'absence du faucheur, j'étais cloué sur terre. Mon sang battait dans les artères de mon cou. J'avais peur de cette colère que je sentais autour de moi comme le vol d'un oiseau.

Lorsque le faucheur passa assez près de moi pour m'entendre, je l'appelai. Nous échangeâmes quelques mots et, sans attendre qu'il disparût de nouveau, je m'enfuis.

Je courus d'abord à la maison et m'assis dans ma chambre pour y réfléchir. Par la porte ouverte, ma mère qui traversait le couloir me vit si pensif qu'elle vint me demander ce qui m'assombrissait ainsi. Elle eût pu croire que c'était la maladie d'Odile, si elle y avait songé, mais elle paraissait avoir déjà oublié ce télégramme qu'elle avait reçu trois heures plus tôt. Mille petites choses sollicitaient ses soins et, dans cette vieille tête distraite, rien ne comptait plus, pour le moment, que le linge propre qu'il fallait examiner.

Au bout de quelques minutes, je sortis de nouveau.

Dans cette maison, quelque chose m'avait suivi, un murmure qui ressemblait au murmure d'un vol d'insectes autour de moi. Pendant un instant, je me promenai sous les arbres, puis j'allai me réfugier sous le sapin, en bordure de la pelouse, parce que là je me croyais hors de la portée de ma voix. Et en effet je n'entendais plus rien au pied de cet arbre. Je regardai entre les branches la prairie toute blanche de lumière et qui ne respirait plus, maintenant que le faucheur avait coupé ses hautes herbes pleines de remous. C'était comme s'il l'avait assassinée, joyeusement, tout en chantant de sa voix nasillarde.

Un long quart d'heure passa. Pourquoi tout d'un coup attachais-je tant d'importance au retour d'Odile ? Je n'aurais su le dire, mais je me sentais si nerveux, si épuisé que je dus m'asseoir. Maintenant que j'étais sous cet arbre, je devais, pensais-je, ne plus m'en éloigner, car si je sortais de sous son ombre, quelque chose de néfaste pourrait m'advenir. Entre les branches noires, je voyais la prairie que le faucheur avait quittée, à présent. Elle avait l'air sinistre, livrée pour ainsi dire à elle-même, à cette colère qui tournoyait au-dessus d'elle comme un grand oiseau de mauvais augure. « Qu'il serait dangereux, pensai-je, de m'aventurer là ! » La chaleur devenait plus forte ; le ciel paraissait baisser peu à peu.

Lorsque enfin je vis arriver la voiture de Jalon sous les platanes, je me levai d'un bond. Peut-être Odile tournerait-elle la tête vers moi. Je voulais qu'elle m'aperçût, ou tout au moins qu'elle devinât que j'étais caché dans l'arbre, mais j'eus la déception de la voir descendre de voiture, aidée par Jalon, et se diriger tout droit vers la maison, sans regarder d'un côté ni de l'autre.

Odile ne parut pas à déjeuner ce jour-là, mais j'appris par la conversation de ma mère avec Jalon qu'elle paraissait moins malade que le télégramme ne l'avait laissé craindre. La veille, elle s'était évanouie, et les dames de la Rédemption n'avaient pas voulu la garder chez elles, car, disaient-elles, l'école n'est pas un hôpital et cette petite fille serait mieux soignée chez ses parents.

— C'est parce qu'elles craignent qu'un malheur n'effraie les élèves, dit ma mère, non sans humeur. Pourvu, ajouta-t-elle à mi-voix, que la malheureuse petite ne passe pas.

A ce moment, Jalon sortit de sa poche un journal financier qu'il se mit à lire en attendant le café.

— Qu'est-ce qui te fait dire cela, maman ? demandai-je. Puisqu'elle a l'air d'aller mieux...

Ma mère eut un geste évasif.

— Je ne te dis pas le contraire, fit-elle. Mais j'ai dans l'idée que, lorsque Odile mourra, ce sera sans raison apparente.

— Mais pourquoi ? insistai-je.

— Tu me demandes cela comme si je pouvais te répondre, mon enfant. Précisément, elle mourra sans qu'on puisse dire pourquoi. Du reste, je n'ai jamais rien compris à cette petite.

— Juste, dit Jalon en abaissant son journal, et il inclina la tête pour regarder ma mère par-dessus son lorgnon. Elle vous est tout à fait étrangère.

— Et à vous ? demandai-je avec une sorte de sauvagerie.

— A moi ? fit-il en se retournant de mon côté. Qu'est-ce qui te parle de moi ?

Je ne répondis pas.

Après m'avoir regardé un moment, il haussa les épaules et plia son journal qu'il remit dans sa poche. Puis il se leva et fit quelques pas dans la pièce devant ma mère et moi ; il paraissait plongé dans une réflexion profonde.

Quand la femme de chambre eut apporté le café et quitté la salle à manger, Jalon vint se placer debout contre la table. Il tournait le dos à la cheminée et, les bouts des doigts appuyés sur la nappe, il nous faisait face et nous regardait comme s'il eût été sur le point de dire quelque chose. Ma mère et moi, nous levâmes les yeux vers lui, mais sans ouvrir la bouche, car il avait pris tout à coup un air solennel qui nous imposait silence. Au bout d'un instant, il ôta son lorgnon et, sans nous quitter du regard, porta la main à son veston. Nous le vîmes fouiller dans une des poches intérieures et en sortir son portefeuille. Ma mère rougit fortement. Il eut alors un sourire, puis saisit entre son pouce et son index deux lettres qui étaient glissées dans un des compartiments du portefeuille, et les tint à la hauteur de sa tempe comme pour nous les montrer.

A un geste que fit ma mère, je compris qu'elle voulait parler, mais Jalon secoua la tête du même air qu'il eût dit que c'était inutile, et remettant son portefeuille dans sa poche il se dirigea vers la cheminée.

Là, avec une gravité presque religieuse, il prit une allumette dans une boîte accrochée au mur, la frotta sur la pierre et mit le feu à l'une puis à l'autre lettre. Il les tenait, le bras étendu au-dessus de l'âtre, chacune entre deux doigts. Elles brûlèrent lentement avec une petite flamme droite qui courait au bord du papier et une fumée noire qui montait sans trembler dans l'air immobile. Lorsqu'elles furent presque consumées, il les laissa tomber sur la pierre, revint vers nous, et, se penchant par-dessus la table, il chuchota en faisant aller son regard de ma mère à moi :

— Je vous prie de croire que, si j'ai fait cela, ce n'est pas pour vous...

Il montra le plafond du doigt :

« C'est pour elle. Elle me l'a demandé en revenant de Soissons.

— Elle vous l'a demandé ! s'écria ma mère au comble de la surprise. Qui a pu lui parler de cela ?

— Ce n'est pas moi ! dis-je brusquement.

Jalon haussa les épaules et me regarda.

— Non, ce n'est pas vous, répondit-il à voix basse, ce n'est personne. Elle savait ainsi plusieurs choses. On avait beau les tenir secrètes, elle devinait.

Je ne voulus pas en entendre davantage. Je me levai de table et m'enfuis.

L'après-midi, il fit si chaud que je restai dans ma chambre pour y dormir. Le temps orageux m'avait donné mal à la tête. Comme je ne portais pas de veste, j'avais mis mon couteau dans la poche de mon pantalon, mais je l'en tirai, afin de ne pas me blesser dans mon sommeil, et je le serrai dans un tiroir de ma commode. Puis je me couchai sur mon lit. De longues minutes passèrent sans que je parvinsse à m'endormir. Je me tournais d'un côté puis de l'autre avec la rage de sentir qu'il y avait quelque chose en moi, dans ma tête, qui refusait de s'assoupir. Dehors, le vent ne soufflait plus. Pas un cri d'oiseau ne venait troubler le profond et lugubre silence qui s'étendait sur tout.

J'essayai de lire, pouvais-je comprendre ce que j'avais sous les yeux, quand une phrase, toujours la même, allait et venait dans mon cerveau : « A présent, il dort dans sa chambre, le moment est sûr, il faut en profiter. »

Bientôt j'abandonnai mon livre et, me levant, je me mis à me promener dans ma chambre. Une grande angoisse me saisit tout à coup. Je ne me sentais plus brave et tranquille comme la semaine dernière et je me souviens qu'à plusieurs reprises je frappai ma poitrine en gémissant.

A la fin, je quittai ma chambre et descendis au salon. Je restai là quelque temps, assis dans un fauteuil et les bras appuyés à une table, désœuvré, regardant à mes pieds les grands dessins compliqués qui avaient tant intrigué mon enfance. Sans être tout à fait calme, j'étais moins tourmenté, dans cette pièce, par la voix qui n'avait cessé de me parler tout à l'heure, alors que j'étais couché sur mon lit. Ici, l'on eût dit que quelque chose l'empêchait de parvenir tout à fait jusqu'à moi. J'entendis sonner quatre heures et, je ne sais comment, je m'endormis.

Lorsque je m'éveillai, la voix était tout près de moi, à mon oreille. Elle me criait : « Ce soir, à onze heures ! Ce soir, à onze heures ! » Je me levai brusquement et sortis. Dans l'antichambre, elle me cria : « Tu as oublié ton couteau. Va le chercher. » Elle courait à côté de moi. Je montai l'escalier comme un fou, et c'est à ce moment que je rencontrai Odile.

Elle ne m'avait pas entendu venir, parce que je portais des espadrilles, et elle eut peur en me voyant tout à coup près d'elle. Son visage était si pâle que j'en fus effrayé : je ne m'attendais pas à la voir ainsi. Elle s'appuya au mur.

— C'est Jean ? dit-elle enfin. Pourquoi m'as-tu fait peur ?

Je me souvins de ce que Jalon avait dit d'elle le matin même et il me répugnait de rester plus longtemps en présence de cette petite fille.

— C'est moi, dis-je assez rudement.

Ma voix était rauque et sortait malgré moi de ma gorge. « Laisse-moi, ajoutai-je. Il faut que je monte.

— Oui, dit-elle doucement, il faut que tu montes. Demain, tu viendras dans ma chambre.

Je passai près d'elle sans répondre.

En arrivant devant la porte de ma chambre, le cœur me battait si fort d'avoir monté trop vite que je dus m'arrêter un instant. Puis j'entrai. La pièce était plongée dans l'obscurité. J'eus l'impression étrange que quelqu'un était devant ma commode et refermait un des tiroirs, mais je n'eus pas le temps d'avoir peur : par un élan subit dont je n'étais pas le maître, je me jetai sur ce tiroir ; j'y trouvai mon couteau tel que je l'avais laissé.

A mesure que la nuit avançait, l'inquiétude grandissait en moi et je ne savais comment employer les deux heures qui me restaient avant de pouvoir descendre chez Jalon. Odile n'avait pas dîné avec nous. Quant à moi, j'étais monté à ma chambre et j'attendais, dans l'état d'esprit que je viens de dire. Ma mère se coucha, puis Jalon, et il se passa peu de temps avant que la maison entière fût plongée dans ce silence où la campagne s'anéantit chaque soir comme dans un tombeau. Je m'étendis sur mon lit, non pour dormir, mais dans l'espoir qu'à l'immobilité de mon corps le calme de l'esprit répondrait bientôt ; mais il m'apparut très vite que tout repos m'était interdit.

A ce moment, mon angoisse était profonde. J'étais résolu à commettre mon crime ; il me semblait que je n'avais jamais été si près d'accomplir mon dessein, pas même à l'instant où je m'étais tenu à la porte de Jalon ; cependant quelque chose me manquait à présent : c'était la joie que j'avais connue autrefois à la pensée de cet assassinat. Je me savais maintenant engagé dans une voie d'où je ne pouvais plus m'écarter, mais, sur le point de toucher à son terme, je me sentais accablé d'une lourde et terrible tristesse, alors que j'avais commencé ma route avec une fièvre et un zèle dont le seul souvenir me confondait d'étonnement.

Je me levai et fis quelques pas. J'avais placé ma montre sur ma table et la consultai de temps en temps. « Dans une heure, pensai-je, dans trois quarts d'heure, je vais tuer cet homme, à peu près comme on doit se dire : dans une heure, dans trois quarts d'heure, je vais mourir. »

Ma main ne quittait plus mon couteau que j'avais remis dans ma poche ; le manche en était poisseux de sueur. En moi, aucune voix ne parlait plus. Je me savais abandonné par tout ce qui m'avait soutenu jusque-là. Pour combien de temps ? Il faisait si chaud que j'aurais voulu me dévêtir complètement et me coucher nu sur mon lit, mais à quoi bon ? Ne devais-je pas descendre dans un moment ? Quand je reviendrai, me dis-je, je me reposerai. Quand je reviendrai ? Je ne sais pourquoi, cette pensée me donna le frisson.

Je m'accoudai à la fenêtre. L'air était moins lourd, mais il me semblait que le ciel s'éclaircissait. En cet instant, j'eus l'impression que quelque chose se passait, non plus en moi, mais autour de moi. Par un mouvement de crainte puérile, j'allai m'assurer que ma porte était bien fermée, mais ce n'était pas la main de l'homme que j'avais à craindre, et je le savais.

J'entendis sonner la demie de dix heures à l'horloge de la salle à manger, puis onze heures moins le quart. Au lieu de me sentir plus agité, mon cœur, croyais-je, battait plus lentement, plus faiblement aussi. Après quelques minutes, je tournai la clef dans la serrure pour ouvrir la porte ; et puis, comme je posais la main sur le bouton, j'entendis un grand cri.

Je lâchai prise et m'écartai de la porte à reculons. Je me rappelle que je touchai les meubles au passage, les chaises, la table comme si j'eusse voulu m'y retenir ; quand j'atteignis mon lit, je m'y laissai tomber et perdis connaissance.

Le lendemain, nous eûmes une journée plus chaude encore que la précédente. Dès sept heures, ma mère qui se levait avant nous tous avait fermé les volets des fenêtres, dans l'espoir qu'un peu de fraîcheur resterait dans la maison. Cet orage qui n'éclatait pas l'incommodait et à plusieurs reprises elle dut s'étendre.

Je sortis un instant, mais revins presque aussitôt. Dans le ciel terne, les yeux cherchaient en vain le soleil et les ombres à mes pieds étaient livides, comme si à cet endroit la terre eût été meurtrie. Pas un son n'arrivait des champs et des arbres. Devant moi, le pré s'étendait, frappé de mort depuis qu'on avait coupé les hautes herbes mouvantes.

Je passai la matinée entière dans ma chambre, assis près de la fenêtre. Par les fentes des volets, je regardais parfois les platanes aux larges feuilles immobiles, mais cette vue me serrait le cœur. Un flot de souvenirs revenait en moi tout d'un coup et m'accablait de tristesse. Une heure passa sans que j'eusse la force de me lever. Il y avait dans mon cerveau, dans tout mon être, pourrais-je dire, quelque chose qui correspondait au morne et tragique silence du dehors. Ma main était serrée sur mon couteau comme sur une relique ou un fétiche dont j'attendais le bonheur. Le bonheur ! Jamais je ne m'étais senti aussi misérable, aussi délaissé. Aucune pensée ne s'agitait plus en moi, rien ne me parlait. J'étais dans un désert où mon âme mourait de soif.

Pour rien au monde je n'aurais demandé ce qu'était ce cri que j'avais entendu la nuit passée, et je craignais à tout moment qu'on ne vînt m'en parler. « Cela ne ressemblait pas à un cri humain, me dis-je, je l'ai peut-être imaginé. J'avais le sang dans les oreilles au moment où je me suis évanoui ; c'était cela. »

Plusieurs fois, je perçus malgré moi le bruit d'une porte qu'on ouvrait et qu'on refermait, et je savais dans quelle chambre on pénétrait, mais je ne voulais pas songer à cela. Cependant, j'étais aux aguets. Il n'y avait pas un son qui ne m'arrivât et que je n'interprétasse dans le même moment. Je reconnaissais le pas de ma mère, je devinais la peur dans la précipitation avec laquelle elle montait et descendait l'escalier, entrait dans cette chambre et en sortait. J'entendais également Jalon qui allait et venait au premier étage, lui qui d'ordinaire ne bougeait pas de son fauteuil. Que ne se tenaient-ils tranquilles l'un et l'autre !

Au bout de trois quarts d'heure, les bruits cessèrent. Il n'était pas loin de onze heures et demie quand j'entendis la voix chuchoter à mon oreille et non plus en moi, comme d'habitude. Je tressaillis et voulus parler, mais la voix m'imposa silence.

« Ne fais pas de bruit, me dit-elle. Ta mère est étendue au salon. Jalon dort dans sa chambre. Voici le meilleur moment possible et il ne te reste plus beaucoup de temps.

— Et elle ? demandai-je tout haut en pensant à Odile.

— Elle ? répéta la voix avec une fureur qui me glaça. Elle dort, entends-tu ? elle *dort.* Lève-toi. Obéis. »

Elle se tut et cessa tout à fait de me parler à partir de ce moment. Pourtant je me levai. Le manche de mon couteau était moite dans ma paume et je voulus le changer de main, mais il était comme collé à mes doigts.

Il faisait noir ainsi qu'à la chute du jour. Depuis quelques minutes le vent soufflait avec un bruit sourd qui me faisait peur. J'ouvris la porte de ma main gauche, doucement, et avançai de deux ou trois pas sur le palier. Est-ce parce que l'obscurité était si grande ? J'eus tout à coup l'impression de me trouver dans un lieu inconnu. Le sang tintait à mes oreilles avec le rythme d'une cloche. Ces battements m'affolaient. En face de moi, au bout d'un couloir, je voyais la porte d'Odile, et ce fut vers cette porte que je me dirigeai, au lieu de descendre.

Je ne sais comment j'atteignis cette porte ; je me souviens seulement que le bruit du vent m'inspirait une crainte de plus en plus grande. Un instant plus tard, je me trouvai dans la chambre d'Odile, tout près du lit où elle était étendue.

Elle était couchée à plat et la tête posée sur l'oreiller. Dans la pénombre, je vis briller ses cheveux autour de son visage blanc. Je crus qu'elle dormait, mais elle me parla aussitôt sans ouvrir les yeux. Sa voix était si douce que je l'entendais à peine.

— Jean, dit-elle, c'est toi ? Tu as encore ce couteau à la main. Laisse-le.

Je ne peux dire ce qui se passa en moi lorsque je l'entendis me parler ainsi. Cette voix me fit revenir à moi tout d'un coup et ma main lâcha le couteau qui tomba à mes pieds. Un immense désespoir m'envahit ; je voulus parler et ne pus rien dire.

« Ne sois pas triste plus tard, reprit-elle. Tu te souviendras que tout est effacé et que je te l'ai dit.

Elle se tut un instant et, après un nouveau silence, reprit d'une voix changée :

« A présent, je veux que tu m'aides. Je veux m'asseoir dans mon lit. Mets l'oreiller derrière mon dos.

Je l'installai de mon mieux, mais j'étais si maladroit et je tremblais si fort que je dus lui faire mal, car je l'entendis gémir. Lorsqu'elle fut assise, elle dit encore :

« Ouvre la fenêtre.

Je m'agenouillai près d'elle.

— Pourquoi veux-tu que j'ouvre la fenêtre, Odile ? il fera trop chaud ici.

Et soudain j'éclatai en sanglots.

— Ouvre la fenêtre, répéta-t-elle. Il faut ouvrir la fenêtre maintenant.

Ces dernières paroles furent prononcées sur un ton de si grande autorité que je dus obéir. J'allai à la fenêtre et repoussai les volets. Le vent soufflait plus fort et faisait mouvoir les arbres dans un sens puis dans l'autre.

« Jean, est-ce que tu vois le sapin ? demanda-t-elle.

— Oui.

— Est-il immobile ou est-ce qu'il se penche ?

— Il se penche d'un côté puis de l'autre, Odile.

Je l'entendis qui répétait : « D'un côté puis de l'autre », et compris qu'elle délirait.

— Tire mon lit vers la fenêtre que je le voie, dit-elle ensuite.

J'obéis aussitôt mais avec une telle angoisse que je ne pus m'empêcher de lui demander :

— Odile, tu ne vas pas mourir, n'est-ce pas ?

Elle ne répondit pas à cette question, mais dès qu'elle fut devant la fenêtre, elle ouvrit les yeux et dit d'une voix plus haute :

— C'est vrai qu'il se penche. Regarde-le bien. Qu'est-ce que tu vois ?

Je m'assis près d'elle.

— Je vois cet arbre, Odile, le sapin...

— Oui, dit-elle, mais dans le sapin... Oh ! Jean, tu ne vois donc pas ? Dans le sapin, il y a un homme, un grand homme noir...

Elle haleta un peu et reprit :

« Chacun de ses pieds à la naissance des deux grosses branches, près du bas. Sa tête dépasse la cime. C'est lui.

Je crus qu'elle avait peur et lui dis :

— Il n'y a personne dans cet arbre, Odile. C'est le vent qui le fait pencher.

Mais elle insista :

— Je te dis qu'il est là, avec son arc et ses longues flèches.

Elle dit encore, presque à mi-voix :

« Ecarte-toi, Jean. C'est moi qu'il regarde.

A ce moment, elle poussa un cri et se plia en deux, comme pour faire un salut. Un flot de sang jaillit de ses lèvres et se répandit sur sa poitrine.

Quelques heures plus tard, j'étais dans une chambre du premier étage. Devant moi, un homme, ivre de douleur, étouffait ses cris en portant son bras à sa bouche. C'était Clément Jalon. Il marchait péniblement, de la porte à la fenêtre, comme s'il eût traîné des chaînes. De temps à autre, il tournait vers moi un visage blafard où coulaient la sueur et les larmes.

— Alors, répétait-il d'une voix étranglée, c'est fini, n'est-ce pas ?

Je fis signe que oui.

« Qu'est-ce qu'elle t'a dit ?

— Elle a dit, recommençai-je pour la dixième fois, elle a dit qu'elle voyait quelqu'un dans le grand arbre.

— Ah ? faisait Jalon d'un air hébété en s'arrêtant au milieu de la pièce.

Il secouait la tête par un mouvement nerveux et reprenait sa promenade. Au bout d'un moment, il s'assit dans un fauteuil et parut se calmer un peu. Sa chemise déboutonnée laissait voir les formes puissantes de son cou et de sa poitrine. Il respirait fortement et avec difficulté.

« Je savais pourtant qu'elle allait mourir, fit-il enfin. Elle me l'avait dit elle-même. La belle petite fille !

Il cacha son visage dans ses poings.

« Et elle ne t'a rien dit pour moi ? demanda-t-il. Rien ?

— Non.

— Elle t'a dit qu'elle voyait quelqu'un dans l'arbre ? C'était le délire ? A Soissons elle a eu le délire également, lorsqu'elle m'a parlé. Elle m'a dit en me voyant : « Ah! monsieur Jalon, c'est vous! J'ai cru qu'il allait vous faire du mal. »

Ces mots me tirèrent de la stupeur où j'étais plongé. Je sursautai.

« Elle a dit cela plusieurs fois, reprit Jalon. Peut-être pensait-elle à cet homme qu'elle a cru voir dans l'arbre, pauvre petite.

— Oui, dis-je, en me penchant vers lui. Qu'est-ce qu'elle a dit encore?

— Elle a dit, continua Jalon plus lentement, elle a dit : « Je l'ai empêché d'entrer chez vous hier soir. »

Dans mon angoisse, je joignis les mains.

« Elle disait aussi quelquefois, poursuivit-il : " Prenez garde, monsieur Jalon. Fermez bien votre porte. Il a attiré la mort à Ferrière, elle ne repartira pas les mains vides. " Pauvre petite! L'imagine-t-on disant des choses pareilles?

Et il se remit à gémir. Je me levai et fis quelques pas.

— Elle n'a rien dit d'autre? demandai-je, la gorge sèche.

— Elle a dit qu'elle avait demandé d'être choisie à ma place, mais que, pour la tuer, ce n'était pas la peine de prendre un couteau et que Dieu la ferait mourir comme il lui plairait, avec un arc et des flèches.

Je me mis à crier.

« Qu'as-tu? demanda Jalon.

— J'ai peur de ce que vous dites, répondis-je.

Et je tombai à terre comme un cadavre.

Il plut à verse cet après-midi-là et les jours suivants. Dans le mauvais chemin qui menait de l'église au cimetière, je marchai entre ma mère et Jalon sans savoir où je trouvais la force pour avancer.

Je ne voulus pas regarder les hommes descendre le cercueil dans la fosse et, lorsque je m'approchai jusqu'au bord de la tombe pour y jeter de la terre, après ma mère et Jalon, elle me parut si profonde que j'eus un instant le vertige et je fermai les yeux. Puis je dus faire un effort pour m'en aller, car, sur le couvercle du cercueil, le grand crucifix de cuivre attirait mes regards, et il me semblait que je ne détacherais jamais la vue de ce Dieu qui nous tend les bras du fond des tombes chrétiennes.

CHRISTINE

She was a Phantom of delight
When first she gleamed upon my sight
A lovely Apparition sent
To be a moment's *ornament.*

WORDSWORTH

La route de Fort-Hope suit à peu près la ligne noire des récifs dont elle est séparée par des bandes de terre plates et nues. Un ciel terne pèse sur ce triste paysage que ne relève l'éclat d'aucune végétation, si ce n'est, par endroits, le vert indécis d'une herbe pauvre. On aperçoit au loin une longue tache miroitante et grise : c'est la mer.

Nous avions coutume de passer l'été dans une maison bâtie sur une éminence, assez loin en arrière de la route. En Amérique, où l'antiquité est de fraîche date, elle était considérée comme fort ancienne et l'on voyait en effet, au milieu d'une poutre de la façade, une inscription attestant qu'elle avait été construite en 1640, à l'époque où les Pèlerins établissaient à coups de mousquet le royaume de Dieu dans ces régions barbares. Fortement assise sur une base de rochers, elle opposait à la frénésie des vents, qui soufflaient du large, de solides parois en pierre unie et un pignon rudimentaire qui faisait songer à la proue d'un navire. En exergue autour d'un œil-de-bœuf se lisaient ces mots, gravés dans la matière la plus dure qui soit au monde, le silex de Rhode Island : *Espère en Dieu seul.*

Il n'est pas un aspect de la vieille maison puritaine dont mon esprit n'ait gardé une image distincte, pas un meuble dont ma main ne retrouverait tout de suite les secrets et les défauts, et j'éprouverais, je crois, les mêmes joies qu'autrefois et les mêmes terreurs à suivre les longs couloirs aux plafonds surbaissés, et à relire au-dessus des portes qu'un bras d'enfant fait mouvoir avec peine les préceptes en lettres gothiques, tirés des livres des Psaumes.

Je me souviens que toutes les pièces paraissaient vides, tant elles étaient spacieuses, et que la voix y avait un son qu'elle n'avait pas à la ville, dans l'appartement que nous habitions à Boston. Etait-ce un écho ? Elle semblait frapper les murs et l'on avait l'impression que quelqu'un à côté reprenait la fin des phrases. Je m'en amusai d'abord, puis j'en fis la remarque à ma mère qui me conseilla de ne pas y faire attention, mais j'eus l'occasion d'observer qu'elle-même parlait, ici, moins qu'elle n'en avait l'habitude et plus doucement.

L'été de ma treizième année fut marqué par un événement assez étrange et si pénible que je n'ai jamais pu me résoudre à en éclaircir tout le mystère, car il me semble qu'il devait contenir plus de tristesse encore que je ne l'ai cru. Ne vaut-il pas mieux, quelquefois, laisser la vérité tranquille ? Et si cette prudence n'est pas belle, dans des cas comme celui qu'on va voir, elle est certainement plus sage qu'un téméraire esprit d'investigation. J'allais donc sur mes treize ans quand ma mère m'annonça, un matin d'août, l'arrivée de ma tante Judith. C'était une personne plutôt énigmatique et que nous ne voyions presque jamais parce qu'elle vivait fort loin de chez nous, à Washington. Je savais qu'elle avait été fort malheureuse et que, pour des raisons qu'on ne m'expliquait pas, elle n'avait pu se marier. Je ne l'aimais pas. Son regard un peu fixe me faisait baisser les yeux et elle avait un air chagrin qui me déplaisait. Ses traits étaient réguliers comme ceux de ma mère, mais plus durs, et une singulière expression de dégoût relevait les coins de sa bouche en un demi-sourire plein d'amertume.

Quelques jours plus tard, je descendis au salon où je trouvai ma tante en conversation avec ma mère. Elle n'était pas venue seule : une petite fille d'à peu près mon âge se tenait à son côté, mais le dos à la lumière, en sorte que tout d'abord je ne distinguai pas son visage. Ma tante parut contrariée de me voir et, tournant brusquement la tête vers ma mère, elle lui dit très vite quelques mots que je ne saisis pas, puis elle toucha l'épaule de la petite fille qui fit un pas vers moi et me salua d'une révérence. « Christine, dit alors ma mère, voici mon petit garçon. Il s'appelle Jean. Jean, donne la main à Christine ; embrasse ta tante. »

Comme je m'approchais de Christine, je dus me retenir pour ne pas pousser un cri d'admiration. La beauté, même à l'âge que j'avais alors, m'a toujours ému des sentiments les plus forts et les plus divers et il en résulte une sorte de combat intérieur qui fait que je passe, dans le même instant, de la joie au désir et du désir au désespoir. Ainsi je souhaite et redoute à la fois de découvrir cette beauté qui doit me tourmenter et me ravir, et je la cherche, mais c'est avec une inquiétude douloureuse et l'envie secrète de ne pas la trouver. Celle de Christine me transporta. A contre-jour, ses yeux paraissaient noirs, agrandis par des ombres autour de ses paupières. La bouche accusait sur une peau mate et pure des contours dessinés avec force. Une immense auréole de cheveux blonds semblait recueillir en ses profondeurs toute la lumière qui venait de la fenêtre et donnait au front et aux joues une teinte presque surnaturelle. Je contemplai en silence cette petite fille dont j'aurais été prêt à croire qu'elle était une apparition, si je n'avais pris dans ma main la main qu'elle m'avait tendue. Mes regards ne lui firent pas baisser les yeux ; elle semblait, en vérité, ne pas me voir, mais fixer obstinément quelqu'un ou quelque chose derrière moi, au point que je me retournai tout à coup. La voix de ma mère me fit revenir à moi et j'embrassai ma tante qui se retira, accompagnée de Christine.

Aujourd'hui encore, il m'est difficile de croire à la vérité de ce que je vais écrire. Et cependant ma mémoire est fidèle et je n'invente rien. Je ne revis jamais Christine, ou tout au moins, je ne la revis qu'une ou deux fois et de la manière la plus imparfaite. Ma tante redescendit sans elle, nous prîmes notre repas sans elle et l'après-midi s'écoula sans qu'elle revînt au salon. Vers le soir, ma mère me fit appeler pour me dire que je coucherais, non au premier étage, comme je l'avais fait jusqu'alors, mais au deuxième et loin, par conséquent, des chambres d'invités où étaient Christine et ma tante. Je ne peux pas dire ce qui se passa en moi. Volontiers j'aurais cru que j'avais rêvé, et même, avec quelle joie n'aurais-je pas appris qu'il ne s'agissait que d'une illusion et que cette petite fille que je croyais avoir vue n'existait pas ! Car il était bien autrement cruel de penser qu'elle respirait dans la même demeure que moi et que j'étais privé de la voir. Je priai ma mère de me dire pourquoi Christine n'était pas descendue à déjeuner, mais elle prit aussitôt un air sérieux et me répondit que je n'avais pas à le savoir et que je ne devais jamais plus parler de Christine à personne. Cet ordre étrange me confondit et je me demandai un instant qui de ma mère ou de moi avait perdu le sens. Je retournai dans mon esprit les mots qu'elle avait prononcés, mais sans réussir à me les expliquer autrement que par un malicieux désir de me tourmenter. A dîner, ma mère et ma tante, pour n'être pas comprises de moi, se mirent à parler en français : c'est une langue qu'elles connaissaient bien, mais dont je n'entendais pas un mot. Je me rendis compte cependant qu'il était question de Christine, car son nom revenait assez souvent dans leurs propos. Enfin, cédant à mon impatience, je demandai avec brusquerie ce qu'il était advenu de la petite fille et pourquoi elle ne paraissait ni à déjeuner, ni à dîner. La réponse me vint sous la forme d'un soufflet de ma mère qui me rappela par ce moyen toutes les instructions qu'elle m'avait données. Quant à ma tante, elle fronça les sourcils d'une manière qui la rendit à mes yeux épouvantable à voir. Je me tus.

Mais qui donc était cette petite fille ? Si j'avais été moins jeune et plus observateur, sans doute aurais-je remarqué ce qu'il y avait de particulier dans ses traits. Ce regard fixe, ne le connaissais-je pas déjà ? Et n'avais-je vu à personne cette moue indéfinissable qui ressemblait à un sourire et n'en était pas un ? Mais je songeais à bien autre chose qu'à étudier le visage de ma tante et j'étais trop innocent pour découvrir un rapport entre cette femme, qui me semblait à présent monstrueuse, et Christine.

Je passerai rapidement sur les deux semaines qui suivirent, pour en arriver au plus curieux de cette histoire. Le lecteur imaginera sans peine tout l'ennui de ma solitude jadis tranquille, maintenant insupportable, et mon chagrin de me sentir séparé d'un être pour qui, me semblait-il, j'eusse de bon cœur fait le sacrifice de ma vie. Plusieurs fois, errant autour de la maison, l'idée me vint d'attirer l'attention de Christine et de la faire venir à sa fenêtre, mais je n'avais pas plus tôt fait le geste de lancer de petits cailloux contre ses carreaux qu'une voix sévère me rappelait au salon ; une surveillance étroite s'exerçait sur moi, et mon plan avortait toujours.

Je changeais, je devenais sombre et n'avais plus le goût à rien. Je ne pouvais même plus lire ni rien entreprendre qui nécessitât une attention soutenue. Une seule pensée m'occupait maintenant : revoir Christine. Je m'arrangeais pour me trouver dans l'escalier sur le passage de ma mère, de ma tante ou de Dinah, la femme de chambre, lorsque l'une d'elles portait à Christine son déjeuner ou son dîner. Bien entendu, il m'était défendu de les suivre, mais j'éprouvais un plaisir mélancolique à écouter le bruit de ces pas qui allaient jusqu'à elle.

Ce manège innocent déplut à ma tante qui devinait en moi, je crois, plus d'intentions que je ne m'en connaissais moi-même. Un soir, elle me conta une histoire effrayante sur la partie de la maison qu'elle occupait avec Christine. Elle me confia qu'elle avait vu quelqu'un passer tout près d'elle, dans le couloir qui menait à leur chambre. Etait-ce un homme, une femme ? Elle n'aurait pu le dire, mais ce dont elle était sûre, c'est qu'elle avait senti un souffle chaud contre son visage. Et elle me considéra longuement, comme pour mesurer l'effet de ses paroles. Je dus pâlir sous ce regard. Il était facile de me terrifier avec des récits de ce genre, et celui-là me parut horrible, car ma tante avait bien calculé son coup, et elle n'en avait dit ni trop, ni trop peu. Aussi, loin de songer à aller jusqu'à la chambre de Christine, j'hésitai, depuis ce moment, à m'aventurer dans l'escalier après la chute du jour.

Dès l'arrivée de ma tante, ma mère avait pris l'habitude de m'envoyer à Fort-Hope tous les après-midi sous prétexte de m'y faire acheter un journal, mais en réalité, j'en suis sûr, pour m'éloigner de la maison à une heure où Christine devait en sortir et faire une promenade.

Les choses en restèrent là deux longues semaines. Je perdais mes couleurs et des ombres violettes commençaient à cerner mes paupières. Ma mère me regardait attentivement lorsque j'allais la voir, le matin, et quelquefois me prenant par le poignet d'un geste brusque elle disait d'une voix qui tremblait un peu : « Misérable enfant ! » Mais cette colère et cette tristesse ne m'émouvaient pas. Je ne me souciais que de Christine.

Les vacances tiraient à leur fin et j'avais perdu tout espoir de la voir jamais, quand un événement que je n'attendais pas donna un tour inattendu à cette aventure et du même coup une fin subite.

Un soir du début de septembre nous eûmes de l'orage après une journée d'une chaleur accablante. Les premières gouttes de pluie résonnaient contre les vitres comme je montais à ma chambre et c'est alors que j'entendis, en passant du premier au deuxième étage, un bruit particulier que je ne peux comparer à rien, sinon à un roulement de tambour. Les histoires de ma tante me revinrent à l'esprit et je me mis à monter avec précipitation lorsqu'un cri m'arrêta. Ce n'était ni la voix de ma mère ni celle de ma tante, mais une voix si perçante et si haute et d'un ton si étrange qu'elle faisait songer à l'appel d'une bête. Une sorte de vertige me prit, je m'appuyai au mur. Pour rien au monde, je n'aurais fait un pas en arrière, mais comme il m'était également impossible d'avancer, je restai là, stupide de terreur. Au bout d'un instant, le bruit redoubla de violence, et je compris alors que c'était quelqu'un, Christine sans aucun doute, qui, pour des raisons que je ne pénétrais pas, ébranlait une porte de ses poings. Enfin, je retrouvai assez de courage, non pour m'enquérir de quoi il s'agissait et porter secours à Christine, mais bien pour me sauver à toutes jambes. Arrivé dans ma chambre, et comme je m'imaginais entendre encore le roulement et le cri de tout à l'heure, je tombai à genoux et, me bouchant les oreilles, je me mis à prier à haute voix.

Le lendemain matin, au salon, je trouvai ma tante en larmes, assise à côté de ma mère qui lui parlait en lui tenant les mains. Elles semblaient toutes deux en proie à une émotion violente et ne firent pas attention à moi. Je ne manquai pas de profiter d'une circonstance aussi favorable pour découvrir enfin quelque chose du sort de Christine, car il ne pouvait s'agir que d'elle, et, sournoisement, je m'assis un peu en arrière des deux femmes. J'appris ainsi, au bout de quelques minutes, que l'orage de la nuit dernière avait affecté la petite fille d'une manière très sérieuse. Prise de peur aux premiers grondements de tonnerre, elle avait appelé, essayé de sortir de sa chambre, et s'était évanouie.

« Je n'aurais jamais dû l'amener ici », s'écria ma tante. Et elle ajouta sans transition, avec un accent que je ne peux rendre et comme si ces mots la tuaient : « Elle a essayé de me *dire* quelque chose. »

J'étais dans ma chambre, deux heures plus tard, quand ma mère entra portant sa capeline de voyage et un long châle de Paisley. Je ne lui avais jamais vu un air aussi grave. « Jean, me dit-elle, la petite fille que tu as vue le jour de l'arrivée de ta tante, Christine, n'est pas bien et nous sommes inquiètes. Ecoute-moi. Nous allons toutes deux cet après-midi à Providence consulter un médecin que nous ramènerons avec nous. Christine restera ici, et c'est Dinah qui prendra soin d'elle. Veux-tu me promettre que tu n'iras pas près de la chambre de Christine pendant notre absence ? » Je promis. « C'est très sérieux, mais j'ai confiance en toi, reprit ma mère en me regardant d'un air soupçonneux. Pourrais-tu me jurer sur la Bible que tu ne monteras pas au premier ? » Je fis un signe de tête. Ma mère partit avec ma tante, quelques minutes après déjeuner.

Mon premier mouvement fut de monter tout de suite à

la chambre de Christine, mais j'hésitai, après une seconde de réflexion, car j'avais une nature scrupuleuse. Enfin, la tentation l'emporta. Je montai donc, après m'être assuré que Dinah, qui avait porté son déjeuner à Christine une heure auparavant, était bien redescendue à l'office.

Lorsque j'atteignis le couloir hanté, ou prétendu tel, mon cœur se mit à battre avec violence. C'était un long couloir à plusieurs coudes et très sombre. Une inscription biblique qui, à ce moment, prenait un sens particulier dans mon esprit, en ornait l'entrée : *Quand je marcherai dans la Vallée de l'Ombre de la Mort, je ne craindrai aucun mal.* Ce verset que je relus machinalement me fit souvenir que si j'avais donné ma parole de ne pas faire ce que je faisais en ce moment, je n'avais cependant point juré sur la Bible et ma conscience en fut un peu apaisée.

J'avais à peine avancé de quelques pas que je dus maîtriser mon imagination pour ne pas m'abandonner à la peur et revenir en arrière ; la pensée que j'allais peut-être revoir la petite fille, toucher sa main encore une fois, me soutint. Je m'étais mis à courir sur la pointe des pieds, contenant ma respiration, effrayé de la longueur de ce couloir qui n'en finissait pas, et comme je n'y voyais plus du tout, au bout d'un instant je butai dans la porte de Christine. Dans mon trouble, je ne songeai pas à frapper, et j'essayai d'ouvrir la porte, mais elle était fermée à clef. J'entendis Christine qui marchait dans la chambre. Au bruit que j'avais fait, elle s'était dirigée vers la porte. J'attendis, espérant qu'elle ouvrirait, mais elle s'était arrêtée et ne bougeait plus.

Je frappai, doucement d'abord, puis de plus en plus fort, en vain. J'appelai Christine, je lui parlai, je lui dis que j'étais le neveu de tante Judith, que j'étais chargé d'une commission et qu'il fallait ouvrir. Enfin, renonçant à obtenir une réponse, je m'agenouillai devant la porte et regardai par le trou de la serrure. Christine était debout, à quelques pas de la porte qu'elle considérait attentivement. Une longue chemise de nuit la couvrait, tombant sur ses pieds dont je voyais passer les doigts nus. Ses cheveux que ne retenait plus aucun peigne s'épandaient autour de sa tête à la façon d'une crinière ; je remarquai qu'elle avait les joues rouges. Ses yeux d'un bleu ardent dans la lumière qui frappait son visage avaient ce regard immobile que je n'avais pas oublié, et j'eus l'impression singulière qu'à travers le bois de la porte, elle me voyait et m'observait. Elle me parut plus belle encore que je ne l'avais cru et j'étais hors de moi à la voir si près sans pouvoir me jeter à ses pieds. Vaincu, enfin, par une émotion longtemps contenue, je fondis en larmes tout à coup, et me cognant la tête contre la porte, je me laissai aller au désespoir.

Après un certain temps, il me vint à l'esprit une idée qui me rendit courage et que je jugeai ingénieuse, parce que je ne réfléchis pas à ce qu'elle pouvait avoir d'imprudent. Je glissai sous la porte un carré de papier sur lequel j'avais griffonné en grosses lettres : « Christine, ouvre-moi, je t'aime. »

Par le trou de la serrure, je vis Christine se précipiter sur le billet qu'elle tourna et retourna dans tous les sens avec un air de grande curiosité, mais sans paraître comprendre ce que j'avais écrit. Soudain, elle le laissa tomber et se dirigea vers une partie de la chambre où mon regard ne pouvait la suivre. Dans mon affolement, je l'appelai de toutes mes forces et, ne sachant presque plus ce que je disais, je lui promis un cadeau si elle consentait à m'ouvrir. Ces mots que je prononçais au hasard firent naître en moi l'idée d'un nouveau projet.

Je montai à ma chambre en toute hâte et fouillai dans mes tiroirs pour y trouver quelque chose, dont je pusse faire un cadeau, mais je n'avais rien. Je me précipitai alors dans la chambre de ma mère et ne me fis pas faute d'examiner le contenu de toutes ses commodes, mais là non plus je ne vis rien qui me parût digne de Christine. Enfin j'aperçus, poussée contre le mur et derrière un meuble, la malle que ma tante avait apportée avec elle. Sans doute jugeait-on qu'elle n'eût pas été en sûreté dans la même pièce qu'une petite fille curieuse. Il se trouvait, en tout cas, que cette malle était ouverte et je n'eus qu'à en soulever le couvercle pour y plonger mes mains fiévreuses. Après avoir cherché quelque temps, je découvris un petit coffret de galuchat, soigneusement dissimulé sous du linge. Comme je le revois bien ! Il était doublé de moire et contenait des rubans de couleur et quelques bagues dont l'une me plut immédiatement. C'était un anneau d'or, très mince et enrichi d'un petit saphir. On avait passé dans cette bague un rouleau de lettres, pareil à un doigt de papier, et que j'en arrachai en le lacérant.

Je retournai aussitôt à la chambre de Christine et, de nouveau, je l'appelai, mais sans autre résultat que de la faire venir près de la porte comme la première fois. Alors, je glissai la bague sous la porte, en disant : « Christine, voici ton cadeau. Ouvre-moi. » Et je frappai du plat de la main sur le bas de la porte pour attirer l'attention de Christine, mais elle avait déjà vu la bague et s'en était emparée. Un instant, elle la tint dans le creux de sa main et l'examina, puis elle essaya de la passer à son pouce, mais la bague était juste et s'arrêtait un peu au-dessous de l'ongle. Elle frappa du pied et voulut la faire entrer de force. Je lui criai : « Non, pas à ce doigt-là ! » mais elle n'entendait pas ou ne comprenait pas. Tout à coup elle agita la main : la bague avait passé. Elle l'admira quelques minutes, puis elle voulut l'enlever. Elle tira de toutes ses forces, mais en vain : la bague tenait bon. De rage, Christine la mordit. Enfin, après un moment d'efforts désespérés, elle se jeta sur son lit en poussant des cris de colère.

Je m'enfuis.

Lorsque ma mère et ma tante revinrent, trois heures plus tard, accompagnées d'un médecin de Providence, j'étais dans ma chambre, en proie à une frayeur sans nom. Je n'osai pas descendre à l'heure du dîner, et à la nuit tombante, je m'endormis.

Vers cinq heures le lendemain matin, un bruit de roues m'éveilla et m'attira à la fenêtre, et je vis s'avancer jusqu'à notre porte une voiture à deux chevaux. Tout ce qui se passa ensuite me donna l'impression d'un mauvais rêve. Je vis la femme de chambre aider le cocher à charger la malle de ma tante sur le haut de la voiture ; puis ma tante parut au bras de ma mère qui la soutenait. Elles s'embrassèrent à plusieurs reprises. Un homme les suivait (je suppose que c'était le médecin de Providence, qui avait passé la nuit chez nous) tenant Christine par la main. Elle portait une grande capeline qui lui cachait le visage. Au pouce de sa main droite brillait la bague qu'elle n'avait pu enlever.

Ni ma mère, ni ma tante que je revis, seule, quelques mois plus tard ne me dirent un mot de toute cette affaire, et je pensai vraiment l'avoir rêvée. Me croira-t-on ? Je l'oubliai ; c'est un cœur bien étrange que le nôtre.

L'été suivant, ma tante ne vint pas, mais quelques jours avant Noël, comme elle passait par Boston, elle nous fit une visite d'une heure. Ma mère et moi nous étions au salon, et je regardais par la fenêtre les ouvriers de la voirie qui jetaient des pelletées de sable sur le verglas, lorsque ma tante parut. Elle se tint un instant sur le seuil de la porte, ôtant ses gants d'un geste machinal ; puis, sans dire un mot, elle se jeta en sanglotant dans les bras de ma mère. A sa main dégantée brillait le petit saphir. Dans la rue les pelletées de sable tombaient sur le pavé avec un bruit lugubre.

LÉVIATHAN
OU
LA TRAVERSÉE INUTILE

Il y avait cinq minutes qu'il attendait sur le quai, devant la *Bonne-Espérance,* dont la proue monstrueuse lui cachait l'estuaire tout entier. Autour de lui, des gamins jouaient, entre les tas de charbon et les pyramides de barriques. Des cris et des rires lui parvenaient, sans doute, mais il semblait ne rien voir et tenait la tête baissée. Il était grand, vêtu d'un manteau de drap usé, avec des poches énormes où ses mains étaient enfouies ; le bord de son chapeau retombait sur ses yeux et cachait son visage. Il demeurait immobile, une grande valise posée à ses pieds.

Lorsqu'on vint le chercher, il prit lui-même sa valise dont le poids faisait trembler ses poignets et suivit son guide sur l'étroite passerelle et sur le pont du vaisseau. On le conduisit à sa cabine.

Seul, il ferma le hublot dont il vissa la poignée, tira le petit rideau de serge et ôta son chapeau. C'était un homme d'une quarantaine d'années, au visage triste, aux traits réguliers et sans rides, mais on devinait son âge à l'expression méfiante et découragée des yeux et à ce quelque chose dans la couleur de la peau qui n'est plus la jeunesse. Après avoir hissé sa valise sur sa couchette, il l'ouvrit et en déballa ses affaires avec les gestes de quelqu'un qui est résolu à ne pas demeurer oisif une seconde et cherche à se distraire de ses pensées en s'occupant d'un petit travail manuel. Vers la fin de la journée, un matelot vint lui demander de la part du capitaine s'il dînerait à la salle à manger. Il ne répondit pas tout de suite et voulut savoir d'abord à quelle heure la *Bonne-Espérance* levait l'ancre. On lui répondit que c'était pour la nuit même, à onze heures.

— Bon, je ne dînerai pas.

Et il ne quitta pas sa cabine.

Le lendemain, le capitaine Suger le fit prier de venir le voir. Le capitaine avait toutes les façons d'une personne franche, jusqu'à en être malhonnête. Il lui dit rondement :

— Monsieur, vous savez que je ne reçois presque jamais de passagers à mon bord. Sans doute, le règlement m'y autorise, mais mon navire est avant tout un navire de commerce. C'est une sorte d'exception que je fais en votre faveur.

Il s'arrêta comme pour donner le temps à l'unique passager de la *Bonne-Espérance* de formuler un remerciement. Mais l'homme ne disait rien. Le capitaine mit les mains dans les poches et se tint en équilibre sur la pointe des pieds, d'un air un peu narquois.

« Je vais être obligé de vous demander vos papiers, dit-il enfin.

— Je vais donc vous les montrer, si c'est nécessaire, fit doucement le passager.

— Ici, ce que je veux est toujours nécessaire, répliqua le capitaine sur le même ton.

Il y eut un silence pendant lequel l'homme affermit son lorgnon, fouilla dans la poche intérieure de sa veste et en retira son passeport qu'il déplia. Le capitaine prit ce document et l'examina avec la plus grande attention. Il avait une grosse figure dans laquelle la curiosité mettait une infinité de petits plis et des yeux qui s'attachaient à tout avec une sorte de voracité.

« Drôle d'idée que vous avez eue de voyager sur un

navire de commerce, dit-il enfin, en rendant le passeport au passager... Vous savez qu'on met vingt jours.

— Je sais, dit l'homme.

Et il replia son passeport.

— Evidemment, c'est un peu moins cher, reprit le capitaine avec une petite moue... C'est pour cela sans doute que...

Il n'acheva pas et se dressa sur la pointe des pieds, semblant attendre, pour retomber sur ses talons, que le passager lui eût fourni une explication. Mais l'homme se taisait.

« Et puis, fit le capitaine, cela ne me regarde pas...

Il eut un mouvement d'épaules et tourna le dos au passager qui se retira.

Une importante cargaison de matières premières assurait à la *Bonne-Espérance* une position à peu près invariable, malgré l'agitation de la mer, et elle allait, lourde et lente, mais ferme, sous un ciel menaçant. Ces premiers jours furent assez pénibles pour le passager. Il n'était pas du tout marin ; on pouvait même douter, à voir ses pas incertains et son air inquiet, qu'il eût jamais mis les pieds sur le pont d'un vaisseau. La plus grande partie du jour, il restait dans sa cabine où il paraissait se plaire. Certains hommes ont la faculté de pouvoir s'installer partout et de telle sorte qu'ils semblent s'y être établis pour toujours. Comment s'y prennent-ils ? C'est leur secret. Il leur suffit de déplacer quelques objets, de changer la position d'un meuble pour que, d'une manière inexplicable, la chambre d'hôtel où ils ne passeront qu'une nuit ait l'air de leur appartenir depuis longtemps et d'être pour eux une demeure qu'ils ne quitteront jamais. Sans doute y a-t-il en eux quelque chose qui s'oppose à l'idée de changement et qui tend à donner à ce qui les entoure un aspect en quelque sorte définitif. C'était peut-être un mouvement instinctif de ce genre qui poussait le passager de la *Bonne-Espérance* à modifier autant que possible l'apparence de sa cabine. Sur sa couchette, il avait jeté une couverture beige qui lui appartenait, dissimulant ainsi la courtepointe bleue au chiffre de la Compagnie. Il avait supprimé de même l'*antimacassar* qui étalait sur le dossier du fauteuil le même chiffre brodé en couleurs vives. Quelques livres occupaient une planchette primitivement destinée à recevoir des chaussures. Enfin la table était placée dans un coin qu'elle usurpait d'une façon manifeste, comme en témoignait la grande tache claire que son pied avait laissée sur le tapis à l'endroit où elle se trouvait d'abord. Là où elle était maintenant, un coup de roulis un peu plus fort que les autres ne manquerait pas de la renverser, mais le voyageur n'avait de la mer qu'une connaissance limitée.

Presque au début du voyage, des pluies torrentielles s'abattirent sur la *Bonne-Espérance* avec une violence telle qu'on eût dit qu'elles avaient à cœur de faire retourner le vaisseau à son port. Mais y eut-il jamais d'exemple qu'un vaisseau fît route arrière à cause de la pluie ? Le capitaine riait de ce temps effroyable. « C'est vous qui nous devez cela », disait-il avec impertinence au voyageur, lorsque, par hasard, il le rencontrait dans les couloirs. Alors le grand homme maigre raffermissait son lorgnon sur son nez et faisait entendre un rire sans joie qui ressemblait à une toux. Un jour, le capitaine lui dit d'un air brusque et enjoué :

— Vous savez, vous êtes mon hôte ; il va falloir que vous preniez vos repas à ma table.

Il mit ses petites mains grasses derrière son dos et reprit sur un ton calculé pour faire rire :

« Cela vous ennuie, hein ?

L'homme secoua la tête en signe de protestation.

« Dites donc, fit tout à coup le capitaine, est-ce que vous parlez quelquefois ?

Trois jours plus tôt il n'eût pas risqué une question aussi familière et insolente. Mais il se sentait de plus en plus important à mesure qu'il gagnait la haute mer : à cinquante milles de la côte française, ces plaisanteries lui étaient permises. L'homme fit une sorte de grimace qui devait tenir lieu de sourire et se retira après avoir salué.

A partir de ce jour, ils prirent leurs repas à la même table, dans une petite pièce située à l'avant du vaisseau. De grands hublots permettaient de voir dans toute son étendue la ligne inquiète de l'horizon. Une lumière forte et crue éclairait le capitaine et le passager assis l'un en face de l'autre.

« Ici, disait Suger en se renversant sur sa chaise, on sent vraiment qu'on est en mer : on ne fait pas un mouvement sans la voir.

Et il confia que, de toutes les pièces du vaisseau, c'était celle où il se trouvait le mieux. Il était marin de naissance, pour ainsi dire ; il n'aimait pas la terre, les villes. Il n'aimait que la solitude de son vaisseau.

« Vous me croyez gai, sans doute, parce que je plaisante, dit-il. Au fond, j'ai la gaieté des mélancoliques.

Et comme si cette confidence en valait bien une autre, il releva la tête avec brusquerie et s'écria :

« Mais vous ! Parlez-moi donc de vous. Vous ne dites rien.

C'était vrai. L'homme ne disait rien. Il mangeait en silence, regardait le capitaine à travers son lorgnon, hochait la tête, mais ne soufflait mot. Il n'avait pourtant pas l'air timide ; ses yeux avaient l'expression hardie des myopes qui ne doutent pas que tout le monde soit au courant de leur infirmité et de l'obligation où ils se trouvent de fixer les gens pour bien les voir. Quelquefois, cependant, il passait quelque chose sur son visage, mais cela était trop rapide pour que le capitaine songeât à le remarquer. Etait-ce l'effet d'un malaise subit ? Tout à coup, les sourcils s'abaissaient et les prunelles s'embuaient, semblaient s'agrandir. Un horrible désespoir se répandait sur ses traits, hésitait un instant, puis disparaissait presque aussitôt dans une crispation. Cela ressemblait à un tic. Dans ces moments, le passager enlevait toujours son lorgnon et inclinait un peu la tête.

Ils en étaient au dessert et le capitaine jouait avec son couteau qu'il faisait basculer sur son index.

« Mais oui, répéta-t-il, vous ne dites jamais rien. Cependant, je ne désespère pas. Encore quelques jours de mer, et vous serez plus loquace.

Le passager haussa les épaules et ôta son lorgnon pour l'essuyer. « Nous verrons bien », semblait-il dire.

Sans doute, le capitaine avait-il raison. Une semaine à bord d'un navire marchand, c'est-à-dire, pour un passager, une solitude à peu près parfaite, cela transforme un homme. Les mélancoliques mêmes n'y résistent pas. Il faut parler, il faut se lier, se faire des amis, ne serait-ce que pour les abandonner en arrivant au port. Mais n'est-il pas curieux qu'au bout de cinq ou six jours de voyage en mer l'on pense moins au port et que l'on tende à l'oublier tout à fait à mesure que l'on s'en rapproche ? La monotonie du voyage pénètre en vous et avec elle l'idée singulière que ce qui dure depuis un si grand nombre d'heures ne pourra jamais finir. Si, au moins, il y avait eu une diversion d'une minute, si l'on avait passé une île, aperçu de loin l'extrême pointe d'un continent ; mais rien ne vient interrompre la ligne infinie que l'on voit au réveil, pendant les repas, la journée tout entière. Pour une nature nerveuse, ce spectacle est une épreuve, presque un tourment. Il est ainsi des êtres qui, à bord d'un vaisseau, se tournent vers la compagnie de leurs semblables comme vers leur salut, même s'ils les méprisent, même s'ils les haïssent ; car il faut qu'ils vivent, qu'ils échappent à l'ennui dévorant des journées, à la mer, à ce *léviathan* qui les guette et les accompagne en silence.

Ai-je dit que la *Bonne-Espérance* allait de France en Amérique ? Elle suivait la route la plus longue et filait droit sur Savannah. Le capitaine s'en accommodait. Il y avait longtemps qu'il avait pris son parti de la mer en s'aidant de la conversation des hommes de l'équipage, et, lorsqu'il s'en trouvait, par hasard, des passagers. Un passager était une aubaine. Comme beaucoup d'esprits médiocres et qui ont lu quelques romans, le capitaine se piquait de ce qu'il nommait psychologie et s'amusait à observer les gens de son entourage. Il s'accordait à lui-même de la pénétration et ne doutait pas qu'au bout de quelques jours il pût trouver, pour employer une expression qu'il aimait bien, la *formule* des personnes qu'il examinait. Je n'irai pas jusqu'à dire qu'il notait ses observations par écrit, mais la chose est bien dans son caractère. Lorsqu'il avait donné ses ordres à tout le monde, surveillé la manœuvre, il lui restait une longue journée qu'il fallait remplir. Aussi le passager lui fournissait-il une distraction précieuse. Il se félicitait de l'avoir à son bord, comme un géomètre se frotte les mains devant un problème difficile. A la réflexion, il aimait ces manières froides, ce silence qui l'avait irrité tout d'abord, et cette réserve qui, somme toute, faisait durer le jeu et le rendait plus intéressant.

Cependant le voyageur semblait résolu à se taire. Il était visible que les regards inquisiteurs du capitaine lui déplaisaient, et qu'il considérait les heures des repas comme excessivement désagréables, mais il essayait de ne rien laisser voir de ces sentiments, et ce qui en paraissait, paraissait malgré ses efforts. Si le capitaine avait été aussi observateur qu'il pensait l'être, il aurait deviné, à coup sûr, que le voyageur avait peur de lui ; mais il suivait une autre piste et croyait avoir affaire tout bonnement à un orgueilleux misanthrope. Heureux de sa découverte, il s'ingéniait, à présent, à poser des questions adroites qui devaient à la fois flatter le voyageur dans sa vanité et l'amener à des confidences sur lui-même. Cette tactique échoua, pourtant, comme avaient échoué avant elle la manière brusque du capitaine et ses interrogatoires précis. Le voyageur ne disait rien ; seulement, lorsque le capitaine devenait trop insistant, il baissait la tête, un peu comme on baisse la tête dans une bourrasque.

Maintenant, le ciel était pur et la *Bonne-Espérance* semblait aller plus vite. L'air était doux. Le silence régnait, à peine interrompu par le murmure des vagues qui s'épanouissaient à l'avant du navire. Mais le voyageur ne quittait pas sa chambre. Là, seul, il semblait en repos. On eût dit qu'il avait tout à craindre en dehors de cette petite pièce et que, passé la porte, sa vie était en danger. Parfois, les matelots qui se promenaient sur le pont voyaient dans l'ouverture d'un hublot une face blanche au regard indécis, et qui disparaissait aussitôt, subitement apeurée.

Devant le silence du passager, le capitaine demeura d'abord interdit ; puis il en conçut de l'humeur. Il avait invité cet homme à sa table, il lui avait parlé avec franchise comme à un ami, à un vieil ami, il lui avait même confié plusieurs circonstances de sa vie privée, et qu'avait-il obtenu en échange ? Rien. Sans doute, il est intéressant de pénétrer les secrets d'un taciturne, par le seul secours de l'observation et de l'intelligence, mais au bout de la troisième semaine, le capitaine en avait assez. Il y avait quelque chose de rebutant dans le visage morose du passager et son silence n'était plus intéressant.

Le voyage tirait à sa fin ; déjà, un goéland, annonciateur de terres prochaines, s'était abattu sur le pont du navire pour repartir aussitôt du vol pesant de ses longues ailes cassées. Un jour qu'il se levait de table, le capitaine se planta devant son invité qui n'avait rien dit depuis le commencement du repas. Il se dressa sur la pointe des pieds et retomba sur ses talons.

— Vous savez, nous arrivons après-demain, dit-il.

L'homme releva la tête. La mine sévère du capitaine l'effraya, sans doute. Il fit une sorte de grimace, ôta son lorgnon et répondit d'une voix éteinte :

— Je sais.

Il paraissait si abattu que l'irritation du capitaine fit place à un mouvement de compassion.

— Vous n'avez rien? demanda Suger au bout d'un instant. Vous n'êtes pas malade?

L'homme secoua la tête.

Comme il regagnait sa cabine, un mouvement subit du navire lui fit quitter la paroi contre laquelle il s'appuyait et le jeta contre une des chaloupes installées sur le pont. Il eut un geste convulsif et, se cramponnant à des cordages, il regarda la mer avec l'expression d'horreur d'un homme que l'on mettrait tout d'un coup en présence de la mort.

« Ne craignez rien, lui cria le capitaine qui le suivait de loin.

Et il vint l'aider à regagner sa cabine.

Cette journée passa comme les autres, à cela près que le capitaine posa moins de questions qu'à l'ordinaire. Il avait, évidemment, pris son parti d'un silence qu'il ne pouvait vaincre et même, par un mouvement de bonhomie qui lui faisait honneur, il semblait vouloir être plus aimable qu'il n'avait été jusqu'alors. Etait-ce que la mine véritablement atterrée du voyageur lui faisait pitié? Parfois il le regardait à la dérobée et hochait lugubrement la tête. Le voyageur ne mangeait que fort peu et demeurait la plupart du temps courbé sur son assiette, frottant inlassablement ses genoux de la paume de ses mains. A sa mise soigneuse et pauvre, à sa redingote boutonnée haut, on l'eût pris pour un professeur.

Le dernier jour se leva sur une mer brumeuse, mais calme, et lorsque les deux hommes s'attablèrent ensemble pour la dernière fois, le ciel était radieux ; l'air frais apportait des bouffées de parfums dans lesquels on croyait reconnaître déjà la délicieuse odeur de la terre et des arbres.

« Hé bien, fit le capitaine en versant du vin à son invité, quittons-nous bons amis, buvons à la santé l'un de l'autre.

L'homme prit une expression à la fois douloureuse et stupide. Il leva son verre qu'il tint en l'air un instant, mais, tout à coup, ses doigts s'écartèrent et le laissèrent tomber. Le verre se brisa sur son assiette et le vin, éclaboussant ses mains au passage, se répandit sur la nappe blanche en une large flaque sombre qui s'agrandit aussitôt et devint rose pâle. Des gouttes brillaient sur le tapis.

Suger posa son verre devant lui et ne dit rien. Il y eut un moment de silence pendant lequel le passager considéra ses mains tachées de vin comme si une monstrueuse difformité en eût subitement modifié l'aspect. La lumière de midi le frappait de face, découvrant ce visage honteux qui s'inclinait par habitude et cherchait à se cacher, et dans cette espèce de flamboiement du soleil sur les parois, dans ce triomphe du ciel blanc de chaleur et d'une mer d'acier qui semblaient emplir la cabine, l'homme paraissait s'anéantir sous quelque chose de gigantesque. Ses épaules s'étaient resserrées. Il retira ses mains de dessus la table et les posa sur ses genoux, avec un geste furtif. Soudain, il releva la tête et jeta un regard terrifié sur le capitaine.

— Qu'avez-vous ? lui demanda-t-il.

— Moi ? fit Suger, stupéfait de cette question.

— Mais oui, continua l'homme d'une voix étouffée. Vous allez me demander quelque chose.

Et sans transition, il murmura précipitamment :

« J'ai quelque chose à vous dire.

Il était blême et répéta sa phrase plus haut comme s'il eût craint que le capitaine ne l'eût pas entendu. Celui-ci parut au comble de la surprise et du plaisir :

— Allons, fit-il en riant, ne vous l'avais-je pas dit ? Je savais bien que vous finiriez par me parler. Je connais la mer !

Et il eut un rire sonore où perçait une gêne.

« Remettez-vous, reprit-il en voyant que le voyageur tremblait. On peut tout me dire, vous savez. Je suis un confesseur modèle.

Mais un tremblement continu s'était emparé du voyageur. Il fit une fois ou deux le geste d'ouvrir son veston, de tirer ses manchettes comme pour gagner du temps, et d'une façon qui faisait songer à une sorte de tic professionnel.

— Dans combien d'heures arrivons-nous ? demanda-t il.

Une grimace contracta le bas de son visage. Il eut la mine apeurée d'un homme qui se débat et se sent pris.

— Cet après-midi, vers trois heures, répondit le capitaine.

Le voyageur baissa la tête et se tint immobile. Puis d'une voix que l'effroi arrêtait à chaque mot, il se mit à parler.

Lorsqu'il eut écouté jusqu'au bout, le capitaine posa son verre et dit :

« Hé bien ?

— Hé bien, c'est tout, répondit le passager.

— Comment ! s'écria Suger, c'est pour cela que vous

vous déplacez ? Etes-vous fou ? Vous viviez tranquille en France...

— Je n'étais pas tranquille.

— Mais vous auriez pu l'être. Personne ne vous soupçonnait.

Le voyageur secoua la tête.

« Allons, reprit le capitaine, il y a autre chose, sûrement. Cela constitue à peine un crime !

A ces mots, le voyageur leva vivement les yeux et regarda le capitaine. Une petite sueur perlait à ses tempes. Brusquement, il frappa la table de son poing et s'écria :

— Tout ce que je viens de vous dire est faux ! Je vous ai trompé. Je ne suis pas un criminel.

— Alors, pourquoi diable me racontez-vous tout cela ? demanda le capitaine.

— Parce que vous m'y avez forcé. Vous me regardez sans cesse, vous me posez toutes sortes de questions, vous êtes comme un policier qui recherche un assassin. J'ai dit n'importe quoi.

Il frappa du poing encore une fois sur la table et cria d'une voix qui s'étranglait :

« J'avais peur. Vous m'avez fait peur. Je vais en Amérique pour mes affaires. Je ne suis pas du tout un assassin.

Le capitaine haussa les épaules d'un air tranquille et sourit.

— Si, dit-il, mais vous n'avez rien à craindre de moi. Je ne parlerai pas.

Le voyageur baissa la tête et son lorgnon tomba sur la table. A ce moment, l'air fut déchiré par le cri d'une sirène, puis quelqu'un à l'avant du vaisseau cria : « Terre ! » Le capitaine se leva d'un bond et jeta un rapide coup d'œil par un hublot.

— Terre ! fit-il à son tour.

Il ajouta :

« Merci bien ! Voilà dix minutes que je l'ai vue.

Et il sortit d'un air important.

Il descendit le petit escalier qui menait sur le pont et donna des ordres à des hommes qui passaient. Des oiseaux tournoyaient autour des cheminées et jetaient des cris sauvages. A l'horizon, une ligne plus foncée indiquait l'Amérique.

Alors, le capitaine se retourna vers la salle à manger dont on voyait les six hublots, et, mettant les mains de chaque côté de son visage, il lança d'une voix joyeuse :

« Hé là ! voyageur ! Nous arrivons.

Mais il y avait quelques minutes déjà que le voyageur était mort.

MAGGIE MOONSHINE

Le premier geste de Miss Eddleston fut de refermer la porte aussi rapidement que possible, et dans l'antichambre elle s'appuya au mur. C'était une plaisanterie. On avait voulu se moquer d'elle parce qu'elle ne se mariait pas, on lui manquait de respect d'une façon grossière. Mieux valait faire comme si elle n'avait rien vu.

L'idée lui vint d'aller réveiller Clara, la cuisinière, mais il était tard. Onze heures venaient de sonner. Elle se réfugia au petit salon tout encombré de meubles et là, dans le grand fauteuil à bascule capitonné de velours prune, elle tenta de réfléchir. La pièce ne recevait de lumière que de la lampe qui éclairait l'escalier, et dans la pénombre, le canapé, la bibliothèque et même les petites chaises de bal semblaient attendre qu'elle eût trouvé la réponse. Quelle réponse ?

Elle se leva et traversa la pièce. Entre les deux fenêtres drapées de mousseline, la glace noire dans son cadre dédoré lui renvoya l'image d'une femme inquiète, encore jolie, svelte. « Svelte. » Ses lèvres s'entrouvrirent pour chuchoter ce mot qui, ce soir, prenait un sens plus précis qu'à l'ordinaire. « Je suis lâche, pensa-t-elle. Ma mère n'aurait pas hésité à ouvrir cette porte et à faire ce qu'il faut. Moi, je n'ose pas. Si je réveille Clara, j'aurai l'air d'une coupable. Mais c'est impossible. On me connaît tout le monde me connaît... »

De nouveau elle était près de la porte. L'idée lui vint que peut-être tout cela n'était pas vrai et qu'elle se débattait au milieu d'un rêve absurde, mais elle savait qu'elle ne dormait pas, et des larmes de colère se mirent à rouler sur ses joues blanches. Avec des précautions de voleur, elle ouvrit un peu, puis tout grand.

La lune de mai éclairait à plein les trois marches de la maison, et sur la marche la plus haute, près du porche, un paquet — ce qui ressemblait à un paquet — dans un journal qu'entourait un long ruban bleu pâle. Un coup d'œil suffisait pour tout comprendre. Ce n'était pas la première fois que la chose se produisait dans cette ville du vieux Sud. Elle se baissa, dans une odeur de chèvrefeuille, ramassa le paquet qu'elle porta au salon après avoir constaté que la rue était vide et refermé la porte.

A présent, ses doigts s'agaçaient sur le nœud de ce ruban dont la couleur contrastait avec les gros titres inquiétants qu'elle ne pouvait s'empêcher de lire. Krach financier, la panique à... de mauvaises nouvelles, on vivait dans un temps où les nouvelles ne pouvaient être que mauvaises. Le froissement du papier troubla le silence de la pièce.

Une petite fille de trois jours au plus, et fort laide. Miss Eddleston se laissa tomber sur le canapé. Valait-il mieux envelopper de nouveau l'enfant et le porter au milieu de la place voisine ? Elle risquait d'être vue, cette fois, et alors que croirait-on ? Le plus simple était sans doute d'aller sonner chez les voisins et de pousser des cris. Un bourdonnement emplit ses oreilles et le salon disparut tout à coup dans une sorte de nuage sombre. Elle perdit connaissance, ce qui était une manière de résoudre toutes les difficultés immédiates.

Avait-elle jamais été aimée ? Cette question n'intéressait pas les jeunes gens de la ville, parce que, si Miss Eddleston gardait encore des restes de beauté, elle les gardait depuis trop longtemps. Son visage faisait partie de la petite histoire locale et il ne serait venu à l'esprit d'aucun garçon de poser les lèvres sur la bouche mince et droite de la demoiselle entre deux âges. On la respectait. Les personnes de sa génération savaient qu'il y avait eu quelque chose dans son passé, une grosse déception, des larmes, presque un drame. En deux mots, elle avait été fiancée, mais le mariage n'avait pas eu lieu.

Mr. Hornblower dont l'emploi était celui de papillon social, terme qui ne l'offensait nullement, parce que toutes les villes d'Amérique ont un ou plusieurs papillons sociaux et certaines des milliers, Eddie Hornblower connaissait toute l'histoire et la racontait quelquefois, après avoir exigé les serments d'usage, mais il omettait le principal, soit qu'il ne le sût pas, soit qu'il ne voulût pas trahir un secret.

Vers le début du siècle, un jeune homme de Virginie avait demandé la main d'Ophélia Eddleston. Ce ne fut certes pas le premier à le faire, mais il y avait dans sa personne quelque chose de sage et de rassurant, et il fut agréé. Il ne ressemblait pas à ces jeunes écervelés de Georgie qui faisaient à la demoiselle des yeux de biche expirante, alors qu'ils n'avaient pas un sou en poche, aucun espoir d'en gagner, et une forte propension à ne rien faire, sinon ce qu'il ne fallait pas. Le futur en question, lui, offrait toutes les garanties voulues, trop de garanties peut-être. Il semblait parfait. Or, qui est parfait... A cet endroit, le papillon social, un assez vieux papillon au visage étrangement rose, levait les sourcils en baissant les paupières, comme s'il eût craint que le fameux secret ne se lût dans ses petites prunelles bleu vif d'une mobilité infatigable. Après une ou deux secondes de recueillement, il rouvrait les yeux et poursuivait. Percival Prudish avait certainement des atouts considérables. D'abord, il avait un air de distinction qui le situait à part, et il était bien, il marchait avec une grâce naturelle que les hommes n'ont pas toujours. Le commun des mortels se porte en avant, Mr. Prudish marchait. Il y avait là une nuance sur laquelle Finicky — c'était son surnom — Hornblower insistait. Le commun des mortels se porte en avant comme du bétail, mais Mr. Prudish... Pour faire apprécier la finesse de sa remarque, le narrateur se levait et esquissait deux ou trois pas. Les dames inclinaient alors un peu la tête, masquant un sourire, et les hommes reniflaient de mépris. « N'allez pas croire, disait Hornblower en se rasseyant, que c'était une mauviette. Prudish était un homme qu'il ne fallait pas braver. Deux fois au moins il se battit avec des officiers de cavalerie. On ne soutenait pas son regard. Sa moustache — mais non, il n'avait pas de moustache... »

Cette incertitude venait de ce que Finicky Hornblower n'avait sans doute jamais vu Prudish dont il faisait un portrait idéal qui variait quelquefois dans les détails. En réalité, Hornblower voyait son personnage tel qu'il aurait voulu être lui-même. Le vrai Prudish était autre, effacé, mais honnête et travailleur, fuyant l'alcool, fuyant la débauche, bon protestant, pieux même, attentif aux usages. Avec cela, blond comme une mite, les yeux gris-vert, le visage blanc, il s'habillait avec soin et s'exprimait d'une manière irréprochable, mais parlait aussi peu que possible. On citait en exemple sa façon de se comporter dans le monde, mais il donnait invariablement l'impression de disparaître derrière l'idée qu'on se formait de lui. Quand on sut qu'il était fiancé à Miss Eddleston, il n'y eut qu'une voix pour dire : « Ah! bien sûr », comme si la chose allait de soi.

Or, ce qui allait de soi, c'était que Percival Prudish n'était pas plus fait pour épouser Ophélia Eddleston que les jeunes fous de Georgie, mais ceux-ci, au moins, en apportant peut-être des incertitudes et des mensonges, les accompagnaient de rêve, de romantisme auquel le nom de la jeune fille faisait écho.

Percival Prudish sous ces dehors rassurants cachait un secret qui poussa sans doute Ophélia à ne pas, comme disent les pasteurs, aller plus loin sur le chemin d'une vie commune... Avaient-ils parlé un soir à cœur ouvert, s'était-il confié à elle, y avait-il eu la révélation de quelque abîme entre leurs espérances ? Ophélia n'en dit jamais mot, bien qu'on vît qu'elle avait les yeux rouges le temps où Percival Prudish quitta la ville. On parla, on imagina, on oublia, et Ophélia Eddleston resta jeune fille. Ces fiançailles rompues mirent autour d'elle, pendant quelques mois, un cercle de respect de la part des jeunes hommes, puis cela devint un fait constant et les demandes en mariage s'estompèrent dans le passé. Elle avait refusé jadis trop de charmants garçons pour que l'un de ceux-ci se lançât de nouveau dans une cour sans lendemain, après l'échec d'un personnage comme Percival Prudish, qui n'avait aucun défaut apparent. Et Ophélia Eddleston soupira, sans se départir de son air impérieux, et la jeunesse passa, sans en avoir l'air, comme quelqu'un qui agite doucement la main pour un au revoir et qui tout à coup n'est plus là.

Elle vivait donc seule, dans une maison qui faisait partie, elle aussi, du passé de la ville, avec sa véranda peinte et son porche à colonnes. Une solide fortune aurait pu lui permettre une vie plus mondaine et, peut-être, de trouver dans les réunions ou les fêtes un prétendant sérieux, mais la rupture de ses fiançailles en avait provoqué une autre plus profonde, sa méfiance à l'égard des hommes se doublait d'un manque total d'assurance en elle-même. Ni sa position ni son nom ni rien ne la défendait d'une panique secrète, et elle s'était fait un monde formel, plein de voisins et de relations, mais sans vrai désir de partager quoi que ce soit avec qui que ce fût. De temps à autre, elle allait faire un séjour chez des cousins en Floride, y menant la même vie délicieusement absurde, lisant des romans, luttant contre une gourmandise envahissante et, pour rester svelte, jouait au golf. C'était à peu près la seule chose pour laquelle elle eût de la volonté. Pour tout le reste elle s'en remettait à Clara, la cuisinière noire qui en apparence suivait les directives de sa maîtresse, mais en fait exerçait une tyrannie quotidienne sur la demoiselle mûrissante.

Quand elle rouvrit les yeux, la lune traversait la pièce et son long doigt blanc se glissait jusqu'au papier froissé sur le parquet, le ruban bleu paraissait noir dans cette lumière. Il n'y avait aucun bruit et son propre souffle lui parut étranger, tandis qu'elle revenait lentement à son point de départ : que faire ?

Elle songea d'abord à l'église épiscopale, mais toute la communauté serait vite au courant et elle entendait déjà les commentaires. Sa vie était transparente ; elle se tenait, cependant, trop à l'écart de certains usages, on lui tiendrait rigueur de sa réserve. Il fallait tellement ressembler à tout le monde ! Et pourtant elle rêvait d'être libre, elle regrettait qu'il n'y eût pas de murs autour des jardins et qu'elle ne pût à sa guise fermer sa porte à double tour. Une clef, c'était le paradoxe de la liberté ! Dans le pays, on ne voulait pas de murs. Un mur, comme une porte fermée, trahissait l'intention de se cacher, pour mal faire peut-être ; il fallait vivre au grand jour, au su et au vu des voisins toujours si curieux... Elle se sentait malade et ne gagna la cuisine que par un effort de volonté. Là, elle s'assit près de l'évier et fit couler de l'eau froide dont elle se rafraîchit les tempes. Au bout d'un moment, le malaise passa.

Deux heures sonnèrent. Elle soupira en pensant à la journée qui l'attendait, le lendemain. La petite cuisine assombrie par un sycomore lui parut d'une laideur presque maléfique avec son tas de chiffons poussé contre le mur et sa table surchargée de vaisselle sale. C'était Clara la négresse qui mettait ce désordre dans tous les endroits où elle s'installait. Miss Eddleston avait peur de Clara. Pourtant, Clara était douce et respectueuse, mais sa maîtresse n'osait lui faire le plus léger reproche, sauf la nuit, quand elle ruminait ses griefs dans son lit et que, la solitude lui donnant du courage, elle disait leur fait aux gens. Alors, elle le prenait de haut et devenait une grande dame éloquente. Le matin venu, elle redevenait lâche et patiente, elle se soumettait avec le soulagement de n'avoir pas à se battre. La vie l'écrasait ainsi tous les jours. On ne savait pas à quel point il était facile de la faire céder, parce qu'elle présentait une apparence de force et qu'elle gardait une sorte d'arrogance dans le port de sa tête et sa façon de jeter le buste en avant...

Dans le salon, le *paquet* l'attendait. C'était cela, la nouveauté dans sa vie ; malgré elle, elle y pensait comme à un changement inattendu, un bouleversement de toutes ses habitudes, une manière d'affirmer son indépendance cachée jusqu'ici sous la lourde chape des conventions sociales. Mais d'abord que dire à Clara ? Tout dépendait, en un certain sens, de la grosse cuisinière avec son visage de lune noire. Comme elle revenait dans l'entrée, celle-ci fut éclairée tout à coup : l'escalier, la rampe, les marches, le bouquet de roses rouges, le miroir, tout parut comme elle surpris par cette clarté soudaine qui effaçait les ombres claires que la lune avait allongées sur le sol à travers les fenêtres. Clara descendait.

— Miss Félia, j'ai entendu la po'te ouve'te et du b'uit dans la kizine. Je disais : Cla'a, Miss Félia, elle est peut-êt'e malade, il faut allé voi'.

— Clara, dit Miss Eddleston... Il y avait *ça* devant la porte.

Elle montra de loin le salon et, de la porte, la négresse aperçut le papier en bataille, cela ressemblait tellement à un de ses tas de chiffons.

— L'amou', dit-elle simplement après avoir fouillé dans le papier, l'amou', il faut s'occupé de ça. On l'empo'te et on va voi'.

— Mais Clara, il faut la donner à l'église pour l'orphelinat de Milledgeville...

Clara serra le papier sur son gros cœur.

— Jamais, dit-elle. C'est à nous, ça. C'est à nous », répéta-t-elle, en secouant sa grosse poitrine comme un berceau.

Le papier eut un cri perçant, un seul, puis un silence. Clara écartait le journal, les deux femmes se penchèrent. Au clair de lune, dans un vieux petit visage chiffonné, deux yeux de myope brillaient, pareils à des yeux d'animal aveuglé.

« Alo', murmura la négresse, il va allé où, ça? A l'o'phelinat? L'amou' à l'o'phelinat, chantonna-t-elle.

— Oh! gémit Miss Eddleston. Quelle histoire!

Elle n'ajouta rien. Mais Clara, au bas de l'escalier, lui dit tout à coup avec autorité comme si elle devinait les pensées secrètes de sa maîtresse :

— Laissé-moi fai', Miss Félia, *ça,* c'est tombé du ciel. Pe'sonne ne di'a 'ien à Cla'a, et ap'ès tout le monde y voud'a aidé. Allé do'mi' maintenant.

Quand la lumière fut éteinte dans toute la maison, de nouveau le clair de lune passa à travers les fenêtres et les rideaux de mousseline, curieux et amical, répandant son silence d'ivoire jusque sur le pied du lit de Miss Eddleston. En vain celle-ci, comme toujours avant de s'endormir, essayait de commander au destin, le sommeil se chargea de l'avenir immédiat.

La cuisine de Clara fut plus désordre que jamais, le lendemain. Ophélia Eddleston ne sut comment un biberon, des langes, tout ce qu'il fallait fit son apparition dès l'heure du petit déjeuner, et l'intarissable cuisinière parlait à la petite fille qui ne pleurait pas depuis son grand cri de la nuit. On ne pouvait pas l'appeler « ça » ou « l'amou' », et la négresse avec la fantaisie de sa race lui donnait un tas de noms selon l'inspiration du moment : Miss Cu'iosity (*curiosity killed the cat,* pensa Miss Eddleston), Miss Moonshine...

Ce nom s'immobilisa soudain dans l'oreille de Miss Eddleston : c'était cela, la nuit sous le porche et, dans la lumière laiteuse de la lune, le paquet avec son ruban. « Maggie Moonshine... » murmura-t-elle... Le petit visage fripé fut Maggie Moonshine.

Tout fut arrangé selon les vues de Clara. En un tournemain la petite ville sut que le bon cœur d'Ophélia Eddleston avait recueilli une enfant abandonnée et que la demoiselle avait enfin donné un but à une vie un peu vide de femme riche. A partir de là, Clara enjoliva la vérité : c'était elle qui avait trouvé la petite dans une corbeille, les détails furent l'un après l'autre transformés et même le fameux ruban bleu changea de couleur.

Ce fut ainsi que Maggie Moonshine entra dans la vie. Les premières années, Miss Eddleston la trouvait laide et la fillette n'avait rien de bien séduisant, si ce n'était une peau du blanc des fleurs de camélia. D'une sagesse exemplaire, elle n'avait ni colères ni impatience, mais scrutait tout, autour d'elle, de ses grandes prunelles qui paraissaient sombres sous les sourcils noirs et qui étaient, en réalité, du vert profond de la mer. Mais d'année en année, sa beauté devint évidente et, après une enfance rêveuse que les deux femmes, la noire et la blanche, couvèrent comme si elles avaient peur que la petite fille venue du mystère y retournât, sa beauté devint éclatante. Loyalement, vers sa onzième année, les deux femmes s'étaient concertées pour savoir s'il fallait ou non révéler le *secret de sa naissance,* ou plutôt de son arrivée dans la maison, à la jeune Maggie. Le récit de Clara ménageait l'aspect brutal de cet abandon nocturne. A leur surprise, Maggie Moonshine ne montra aucune surprise : sans doute déjà avait-elle été informée à l'école privée où Miss Eddleston l'avait mise. Rien ne changea, ses beaux yeux continuaient à leur témoigner la même tendresse. Et Miss Eddleston et Clara soupirèrent : elles ne s'étaient pas trompées sur leur *petit trésor,* leur *honey.* Enfin Maggie atteignit ses quatorze ans. Alors le pire arriva.

Le pire avait dix-huit ans et le sourire de Roméo. C'était un de ces écervelés comme ceux que jadis Miss Eddleston avait écartés de son chemin. Si Finicky Hornblower avait encore été de ce monde, il eût déclaré que jusqu'ici Maggie Moonshine partageait son cœur en deux parties égales pour les deux femmes qui l'avaient élevée et qu'elle prenait l'une pour sa mère et la seconde pour une seconde mère, une mammy noire, avec toute l'affection que cela comportait pour un enfant du Sud... Dans ce cœur-là, tout demeura pareil, mais elle eut en quelque sorte un second cœur, un cœur d'amoureuse, et rien d'autre ne l'habitait, que le nouveau visage...

Elle se rendit sans condition. Comme ils étaient trop jeunes pour se marier, il décida de l'enlever en lui promettant le bonheur et l'amour éternel. Il avait une petite Chevrolet, mais peu d'argent, et il vendit à des usuriers que rassurait le nom de sa famille des bagues et des pierres dont il avait hérité de sa mère et d'une grand-mère défuntes.

L'enlèvement ne pouvait avoir lieu que la nuit, quand Miss Eddleston et Clara dormaient. Maggie s'échappa par la porte de la cuisine pour retrouver son Willie attendant au coin de l'avenue, dans l'ombre complice des sycomores. La voiture attendait aussi, mouchetée de blanc par le clair de lune. Ils s'installèrent sans bruit, mais la Chevrolet en partant troubla le silence et, dans son sommeil, Miss Eddleston rêva qu'un jeune homme, un de ses jeunes soupirants de jadis, s'arrêtait devant la maison et qu'ils s'en allaient ensemble en voyage comme autrefois dans un cabriolet.

Au petit jour, les amoureux étaient loin d'Augusta. Miss Eddleston et Clara trouvèrent sur l'oreiller de Maggie un billet très simple : « Je vous aime beaucoup et j'aime Willie tout court. Adieu. » Les larmes coulèrent sur le visage blanc comme sur le visage noir. Qu'allait-on faire ? Alerter la police de l'Etat, il n'en fut pas question. Un détective privé peut-être ? Miss Eddleston se souvint de sa jeunesse gâchée et des jeunes gens qu'elle avait d'abord repoussés et qui s'étaient éloignés à tout jamais. Elle convainquit Clara qu'il fallait ne rien faire, sinon attendre ; les premiers feux du grand amour apaisés, ils reviendraient et on les marierait discrètement.

L'été fut bientôt un souvenir, et à Augusta les deux femmes ne cessèrent d'espérer, même lorsque le temps de l'espoir fut depuis des semaines évanoui. Les mois qui passaient n'y changeaient rien. Elles découvraient, au moment même où tout leur disait que la jeune fille ne reviendrait plus, un indice nouveau dans leur cœur, et leurs raisons défiaient la raison. Dans leurs conversations du jour, car le soir elles restaient silencieuses, leur *honey* avait été souffrante ; les jeunes gens n'osaient pas revenir, le bien du garçon dilapidé ; ils travaillaient ; ils avaient eu un enfant et celui-ci retardait à leurs yeux l'heure du retour, aveux, joie et larmes ; ils avaient quitté le Sud et ils se trouvaient sans ressources suffisantes pour refaire le voyage vers Augusta... Et celles qui attendaient donnaient à chaque prétexte le temps nécessaire pour s'effacer et s'enchaîner à un autre tout aussi naturel et tout aussi improbable. Tous les soirs, cependant, elles se tenaient sur le porche, en retrait des colonnes, comme des ombres attendant dans l'ombre.

Puis Miss Eddleston se mit à rêver, et ses rêves avaient ceci d'étrange qu'ils prolongeaient exactement sa vie : elle se voyait assise sur les marches, incapable de faire un mouvement tandis que la lune tournait autour d'elle avec l'ombre de chaque colonne. Il y avait toujours quelqu'un sur le point d'arriver, mais toujours un obstacle infime avait surgi à la dernière seconde et il ne venait personne. C'était une parodie de la vie quotidienne avec, grossis sournoisement par la nuit, les petits riens de la journée qui prenaient le pas sur tous les mystères de sa vie de femme. Elle attendait dans ses rêves, comme elle avait attendu l'amour, et il n'y avait plus de différence entre sa vie nocturne et les soirs réels où Clara s'asseyait sur la dernière marche en dessous d'elle, dans la lumière indistincte du réverbère ou la brutale réalité du clair de lune.

Un beau jour, Miss Eddleston se sentit plus faible. Elle décida de garder le lit pour quelque temps et le garda pour toujours. Clara, seule maintenant, attendait sur la marche la plus basse, la première restant réservée à sa maîtresse qui ne descendrait plus jamais. Parfois des roulements de voiture se faisaient entendre au loin, alors Clara écoutait, les yeux plus grands ouverts pour essayer de suivre le parcours invisible, mais tout à coup un tournant lui volait jusqu'à ce bruit et son espoir retombait.

Une nuit, Miss Eddleston rêva que les jeunes gens se tenaient devant elle, le visage rayonnant de bonheur, souriant de toutes leurs dents magnifiques dont ils se montraient fiers ; de nouveau, elle faisait dans son rêve des projets d'avenir. Elle crut enfin que c'était vrai et ouvrit les yeux.

Le lendemain matin, ce fut Clara qui les lui referma, et, pour s'assurer qu'ils resteraient bien clos, elle mit sur chaque paupière une pièce de cinquante *cents*. C'est ainsi que Miss Eddleston fut couchée dans son cercueil et portée en terre. Dans son testament, elle léguait la maison à Clara, avec mission de la conserver telle quelle jusqu'au retour des fugitifs.

Et Clara reprit sa place sur la dernière marche du porche, et elle attendit comme elle l'avait toujours fait, et on prit l'habitude de la voir assise chaque soir, fidèle à son poste, qu'il fît clair de lune ou que les colonnes ne fussent éclairées que par la lueur brouillée du réverbère, de l'autre côté de l'avenue. Du temps passa, on finit par ne plus se souvenir pourquoi elle était là. Elle-même n'en savait plus rien.

TABLE

DU MÊME AUTEUR

AUX ÉDITIONS DU SEUIL

Journal, XI. La terre est si belle..., 1976-1978
1982

Journal, XII. La Lumière du monde, 1978-1981
1983

L'Autre
coll. « Points Roman », 1983

Frère François, vie de François d'Assise
1983 ; coll. « Points Biographie », 1985

Si j'étais vous...
coll. « Points Roman », 1983

Mont-Cinère
roman, 1984

Histoires de vertige
nouvelles, 1984

Varouna
coll. « Points Roman », 1984

Jeunes Années, 1 et 2. Autobiographie
coll. « Points Roman », 1984

Léviathan
coll. « Points Roman », 1985

Épaves
coll. « Points Roman », 1985

Demain n'existe pas – L'Automate
théâtre, 1985

Adrienne Mesurat
coll. « Points Roman », 1986

Le Visionnaire
coll. « Points Roman », 1986

Chaque homme dans sa nuit
roman, 1986

Le Malfaiteur
coll. « Points Roman », 1987

Les Pays lointains, I
roman, 1987

Minuit
coll. « Points Roman », 1987

Le Langage et son double
coll. « Points », 1987

Le Mauvais Lieu
coll. « Points Roman », 1988

Journal, XIII. L'Arc-en-ciel, 1981-1984
1988

Sud. L'Ennemi. L'Ombre
théâtre, 1988

Suite anglaise
coll. « Points », 1988

Le Voyageur sur la terre
roman, 1989

Paris
1989

Les Étoiles du Sud, II
roman, 1989

DU MÊME AUTEUR

ROMANS

Mont-Cinère
Adrienne Mesurat
Léviathan
L'Autre Sommeil
Épaves
Le Visionnaire
Minuit
Varouna
Si j'étais vous...
Moïra
Le Malfaiteur
Chaque homme dans sa nuit
L'Autre
Le Mauvais Lieu
Les Pays lointains, I
Les Étoiles du Sud, II

NOUVELLES

Le Voyageur sur la terre
Histoires de vertige

THÉÂTRE

Sud
L'Ennemi
L'Ombre
Demain n'existe pas
L'Automate

BIOGRAPHIES, ESSAIS ET DIVERS

Pamphlet contre les catholiques de France
Suite anglaise
Qui sommes-nous ?
Liberté chérie
Ce qu'il faut d'amour à l'homme
La Nuit des fantômes, *conte pour enfants*
Une grande amitié, *correspondance avec Jacques Maritain*
Frère François
Paris
Le Langage et son double

JOURNAL

I. Les Années faciles, 1926-1934
II. Derniers beaux jours, 1935-1939
III. Devant la porte sombre, 1940-1943
IV. L'Œil de l'ouragan, 1943-1945
V. Le Revenant, 1946-1950
VI. Le Miroir intérieur, 1950-1954
VII. Le Bel Aujourd'hui, 1955-1958
VIII. Vers l'invisible, 1958-1966
IX. Ce qui reste de jour, 1967-1972
X. La Bouteille à la mer, 1972-1976
XI. La terre est si belle..., 1976-1978
XII. La Lumière du monde, 1978-1981
XIII. L'Arc-en-ciel, 1981-1984

Dans la gueule du Temps, *journal illustré*, 1926-1976
Mes Villes, *journal de voyage illustré*, 1920-1984

AUTOBIOGRAPHIE

Jeunes Années, 1 et 2

ŒUVRES COMPLÈTES

Tomes I, II, III, IV, V ; VI en préparation
Bibliothèque de la Pléiade

ŒUVRES EN ANGLAIS

The Apprentice Psychiatrist
The Virginia Quarterly Review, 1920
Memories of Happy Days
New York, Harper, 1942 ; Londres, Dent, 1942
Traductions de Charles Péguy :
Basic Verities, Men and Saints, The Mystery
of the Charity of Joan of Arc, God speaks
New York, Pantheon Books, 1943
Memories of Evil Days
University of Virginia Press, 1976

A PARAÎTRE

Journal, XIV. L'Expatrié
Le Grand Soir, *pièce en 3 actes*
Jeunesse immortelle
Berlin
La Chasse spirituelle

IMPRIMERIE S.E.P.C., À SAINT-AMAND-MONTROND
DÉPÔT LÉGAL MAI 1989. N° 10655 (7460-316)